Manual de
piano y teclado

JOSÉ ANTONIO BERZAL

LIBSA

2014, Editorial LIBSA
C/ San Rafael, 4
28108 Alcobendas. Madrid
Tel: (34) 91 657 25 80
Fax: (34) 91 657 25 83
e–mail: libsa@libsa.es
www.libsa.es

ISBN: 978-84-662-2838-1

Colaboración en textos: José Antonio Berzal y equipo editorial LIBSA
Edición: equipo editorial LIBSA
Maquetación: equipo de maquetación LIBSA
Diseño de cubierta: equipo de diseño LIBSA

DL: M 2479-2014

Contenido

SEGUNDA PARTE: PRÁCTICA

Introducción

Nos hallamos ante una obra de carácter divulgativo que nos acerca al apasionante mundo de la música y en concreto al aprendizaje del piano como instrumento musical.

Durante un largo periodo de tiempo, hemos convivido con la idea generalizada de que el mundo de la música y más concretamente el aprendizaje de un instrumento musical, era un terreno arduo y tortuoso, por el que había que caminar armado de paciencia y al que había que dedicar un tiempo ilimitado de horas de estudio, con el consiguiente sacrificio que esto suponía. Pero esta idea que nos ha acompañado a lo largo del tiempo, ha generado un concepto equivocado de lo que realmente es el medio musical y la gran cantidad de instrumentos que lo conforman, contribuyendo de esta manera a que un gran número de personas interesadas en el aprendizaje de un instrumento musical en concreto, no diesen el paso de iniciarse en el mismo influidos por una cierta sensación de miedo o respeto a tan dura disciplina.

Con la obra que nos ocupa, el autor intenta desmitificar esa falsa creencia, poniendo a disposición del lector un método de aprendizaje y de estudio adaptado a las necesidades básicas de cualquier alumno con independencia de edad y preparación académica. Esto no quiere decir que el aprendizaje del piano sea algo extremadamente fácil y carente de esfuerzo por parte del alumno. Debemos tener en cuenta que el piano es uno de los instrumentos acústicos más completos y complejos que han llegado hasta nuestros días, por lo que debemos encontrar su justa medida haciendo de su aprendizaje algo accesible, pero sin llegar a subestimarlo.

Por ello, veremos toda una serie de dificultades propias del piano, que constituyen un reto importantísimo para el alumno y que con esfuerzo y ejercicio se irán venciendo a medida que éste progrese en su aprendizaje. Estas dificultades no deben servirnos para provocarnos rechazo o miedo a este instrumento, sino que, al contrario, nos servirán para conseguir una serie de habilidades a nivel técnico–motriz y a nivel intelectual, que no podremos adoptar con otras actividades ejercidas en nuestra vida cotidiana. Esto último es algo muy a tener en cuenta cuando el alumno es un niño, ya que este desarrollará unas capacidades muy superiores a los niños de su misma edad.

Para comenzar debemos tener en cuenta la capacidad de registro del piano, que es muy amplia. Es capaz de emitir notas muy agudas y muy graves haciendo que sea uno de los instrumentos con mayor tesitura, comprendiendo 88 notas que se emiten a través de sus 88 correspondientes teclas. Esto hace que en ocasiones concretas, una mano se distancie considerablemente de la otra suponiendo por ello una notable dificultad sobre todo al principio del aprendizaje, y que por supuesto, el alumno vencerá sin problemas a medida que se ejercite en el instrumento.

Como veremos con posterioridad, el mecanismo del piano basado en teclas contrapesadas por la acción de martillos que golpean las cuerdas, hacen que estas teclas tengan un peso que en los teclados electrónicos y digitales no se produce, añadiendo cierta dificultad al estudio y la interpretación. Este concepto se acentúa al tener que interpretar melodías en las que hay notas fuertes y suaves, debiendo encontrar la medida justa de fuerza en cada caso para conseguir una correcta ejecución.

Otro punto fundamental es la dificultad de coordinación existente entre ambas manos, ya que al ser el piano un instrumento polifónico, las posibilidades interpretativas de éste son inmensas. Imaginemos por un momento las múltiples combinaciones posibles de notas y texturas que podemos realizar y nos daremos cuenta de cómo poco a poco podemos ampliar la dificultad técnica de este instrumento.

Como acabamos de decir, el piano es un instrumento polifónico en el que se utilizan las dos manos de manera independiente, lo que quiere decir que al contrario que en los instrumentos monofónicos en los que sólo se escribe y se lee en un pentagrama o línea de escritura, las partituras para piano se escriben en dos pentagramas distintos, uno por cada mano. A esta dificultad se le añade otra que consiste en que cada una de estas líneas de escritura se escribe y se lee en un código distinto. Es importante señalar que esto no debe asustarnos ya que es algo que sorprendentemente superaremos sin demasiado esfuerzo en las primeras semanas de estudio.

Un último apunte acerca de las dificultades que nos encontraremos en el aprendizaje del piano y en general de cualquier instrumento musical, es la doble actividad que el alumno debe realizar a la hora del estudio y de la interpretación. Es decir, el mecanismo consiste en ir leyendo y tocando al mismo tiempo con el nivel de atención y concentración que ello supone.

Hasta aquí estas pequeñas dificultades que, como hemos dicho, no deben servirnos como obstáculo para iniciarnos en el aprendizaje del piano ya que podemos superarlas gradualmente y sin demasiado esfuerzo, adquiriendo con ello toda una serie de virtudes y habilidades muy útiles incluso en otras actividades cotidianas.

Antes de continuar cabe señalar las distintas vertientes de estilo que abarca el piano clásico como instrumento musical. El piano es un instrumento de origen clásico cuyos inicios como tal datan del año 1695 aproximadamente. Por ello, debemos tener en cuenta que su principal utilización a lo largo de la historia ha estado enfocada a la interpretación de lo que se conoce como música culta, es decir, el repertorio clásico musical que abarca desde el clasicismo (siglo XVIII) hasta la vanguardia musical de finales del siglo XX que aún en nuestros días continúa en constante evolución. Este hecho comenzó a cambiar a finales del siglo XIX cuando de la mano de pianistas y compositores como Scoot Joplin (1868-1917), James Scoot (1886-1938) y Joseph Lamb (1887-1960), comienzan a aparecer al sur de Estados Unidos las primeras piezas para piano englobadas en el estilo que se denominó «Ragtime». Este estilo musical fue la primera música negra de carácter comercial, la cual consiguió una gran popularidad y una amplia distribución comercial teniendo en cuenta el momento histórico en el que surgió. El piano era el instrumento por antonomasia propio de este estilo de música y su interpretación consistía en un esquema rítmico basado en compases de dos o cuatro partes y melodías rápidas y percusivas, que exigían un gran virtuosismo en el momento de interpretarlas. Así pues, el Ragtime se convirtió rápidamente en la música popular del momento para la población negra del sur de Estados Unidos, que empleada en su mayoría en las plantaciones de cultivos como el algodón, necesitaba una vía de escape para los pocos momentos de asueto que poseían, organizando grandes fiestas con música Ragtime de fondo en graneros y cobertizos que con gran facilidad se transformaban en grandes salas de baile.

A partir de este momento el uso musical del piano como instrumento evoluciona hacia un importante número de culturas y estilos del que cabe señalar el más representativo, que es el «Jazz». Este tipo de música (aun vigente y en constante evolución) ha marcado parte importante de la vanguardia musical del siglo XX.

Esta evolución ha contribuido de manera clara a facilitar el acceso a un instrumento que de otro modo hubiera quedado relegado a un sector muy elitista y demasiado especializado.

El dominio del piano clásico al igual que otros instrumentos de la misma categoría, exige una dedicación que en la mayoría de los casos ocupa toda una vida personal y profesional, dando lugar eso sí, a excelentes intérpretes cuya virtuosismo es comparable con pocas actividades conocidas en nuestra vida cotidiana. Lógicamente, no todo aquel que se inicia en el estudio del piano persigue ese nivel de conocimiento y virtuosismo, y lo que es más importante, muy pocos disponen del tiempo necesario para esta dura disciplina.

De este modo, surge la idea de crear un método de aprendizaje fácil e intuitivo que sirva de incentivo a todas aquellas personas que tengan la intención de iniciarse en el apasionante mundo de la música, y más concretamente, en el del piano.

Como hemos señalado anteriormente, esta obra está enfocada a un espectro muy amplio de potenciales alumnos, con independencia absoluta de edad, preparación académica y nivel cultural. La música y el piano como instrumento, puede aportarnos un gran número de satisfacciones personales, que en el momento actual en que nos encontramos pueden llegar a convertirse en un preciado tesoro. Si comparamos el piano con otros instrumentos musicales podremos apreciar en él una serie de ventajas que lo perfilan como un instrumento ideal para tomar contacto con el mundo de la música. Es uno de los únicos instrumentos en los que el sonido se produce de manera directa e inmediata, facilitando por ello la primera toma de contacto del alumno con el instrumento en sí. Cuando se pulsa una tecla del piano, ésta a su vez mueve un macillo en su interior que golpea la cuerda correspondiente a esa tecla, produciéndose el sonido de manera inmediata. Este hecho no se da en la mayoría de los instrumentos musicales en los que para conseguir emitir un sonido, debemos antes aprender la técnica específica de ese instrumento en concreto. En el caso de los instrumentos de viento, el alumno debe tener en cuenta aspectos fundamentales como la posición de la boca y la lengua, el tipo de respiración, la presión del aire o el correcto tapado de llaves y orificios de que consta el instrumento. Como podemos imaginar, esto hace que la emisión de un primer sonido de calidad y limpieza aceptable no se produzca de forma inmediata como en el caso del piano. Este mismo hecho se da en los instrumentos de cuerda frotada: violín, viola, violonchelo y contrabajo, donde la técnica necesaria para conseguir sacar el sonido del instrumento depende de una serie de parámetros que hacen lento el proceso de aprendizaje e incluso desagradable al oído. Por todo lo expuesto y como ya hemos dicho, el piano se presenta como una excelente opción, ya que además goza de una versatilidad única entre todos los instrumentos musicales. Es un instrumento que tiene una amplia tesitura, es decir abarca un gran espectro de notas desde la más grave a la más aguda, lo que aporta a la interpretación una grandeza sonora incomparable.

Pensemos que cualquier melodía interpretada al piano, sea de cualquier época y estilo, resulta una pieza agradable y elegante si está tocada de una manera correcta y con buen gusto musical.

En el caso de los niños y jóvenes, puede constituir un excelente método para potenciar valores tan importantes como la autoestima y la personalidad ya que en un espacio de tiempo relativamente corto, el alumno podrá observar resultados asombrosos. Por otro lado, el estudio del piano a través de esta obra ofrece un equilibrio perfecto entre una actividad lúdica y un plan de trabajo en el que se potencia la disciplina en el estudio para lograr el resultado requerido. Algo, esto último, que contribuirá sin duda a la superación personal del alumno y que a su vez se verá reflejado en otras actividades cotidianas de la vida.

En el caso de los adultos, la música y en concreto el piano, se perfila como un excelente vehículo para obtener grandes satisfacciones a nivel personal. En un mundo donde el estrés y el ajetreo diario imperan en nuestras vidas, a menudo necesitamos una vía de escape que nos sirva para evadir los problemas cotidianos, que sin duda están haciendo mella en nuestra calidad de vida. De este modo, podemos observar como de un tiempo a esta parte han ido surgiendo métodos y terapias cuyo objetivo ha sido paliar el daño que este inevitable modo de vida produce. Tampoco debemos olvidar las ventajas de la música a la hora de fomentar las relaciones personales y ampliar nuestro círculo de amistades, tanto en niños como en adultos. Saber tocar un instrumento constituye un vehículo perfecto para conocer gente, solicitar la atención de las personas que participan en una reunión o compartir buenos momentos con una bonita melodía de fondo. Por todo lo expuesto, podemos utilizar los beneficios de la música a nivel personal y de esta manera experimentar toda una serie de mejoras en nuestra calidad de vida.

No podemos obviar otra serie de dificultades que a lo largo del tiempo han contribuido al difícil acceso del piano como instrumento de estudio. Hasta no hace mucho, el piano ha sido un instrumento cuyo coste económico era elevado, quedando así relegado para un sector social con cierto poder adquisitivo. Así mismo el piano es un instrumento de grandes dimensiones si lo comparamos con otros instrumentos clásicos, algo que sin duda dificulta su ubicación en un espacio doméstico. Estos aspectos han cambiado en gran medida como podremos observar a continuación.

Es cierto que el piano se ha caracterizado siempre por ser un instrumento de coste elevado, y por consiguiente, de carácter elitista. Esto es debido en gran medida a varios factores básicos como la complejidad de su fabricación, básicamente artesanal, la calidad de sus componentes y la costosa distribución de un instrumento tan delicado. Este aspecto ha ido cambiando en las últimas décadas con la aparición de series y modelos de pianos más baratos fabricados de manera casi industrial y concebidos para un uso de estudio, sin que por ello se haya visto mermada la calidad del instrumento y el sonido que el intérprete pueda conseguir con dicho instrumento.

El otro problema al que se enfrentaba el alumno de piano era, como ya hemos visto, el tamaño del mismo que en comparación con otros instrumentos lo hacía poco manejable y difícil de ubicar en la mayoría de los hogares. Esto a veces jugaba una baza decisiva para que el futuro alumno se decantase por otros instrumentos similares o bien directamente desistiese en el intento.

Pero como podremos ver con posterioridad, a principios de los años ochenta, algunos fabricantes de pianos conscientes del problema optan por crear un nuevo instrumento híbrido llamado «piano digital», que viene a solucionar este delicado problema. Este tipo de instrumento consiste en un teclado de piano de tipo contrapesado, es decir, que imita con absoluta fidelidad el teclado de un piano acústico en el que las teclas pesan debido al efecto de contrapeso que producen los martillos que golpean las cuerdas. Por otro lado, en el caso de este tipo de instrumentos, el sonido es generado digitalmente por un módulo de sonido interno. De este modo se elimina la caja del piano que es lo que más volumen tiene del mismo, ya que contiene en su interior toda la maquinaria, dando como resultado un instrumento de peso y dimensiones más contenidas. Todo esto contribuye a la vez a la disminución del coste económico del instrumento, lo que perfila esta opción como una de las mejores para el alumno que comienza a estudiar piano.

Debemos señalar que paralelamente a la aparición de este tipo de pianos digitales, ha surgido un gran número de órganos y teclados electrónicos basados es la generación del sonido de manera electrónica y posteriormente digital. Este hecho ha generado en el mercado una gran oferta de instrumentos de teclado que nos permiten expresarnos musicalmente en una amplia variedad de estilos. Por ello, puede que nos veamos obligados a elegir entre toda una serie de teclados digitales o el piano propiamente dicho, ya sea acústico o digital.

La elección entre un teclado digital y un piano acústico puede depender de la edad del alumno, es decir, si se trata de un niño o un adulto. En el caso de los niños, la música y en concreto el aprendizaje de un instrumento musical puede llegar a ser tan solo un capricho pasajero con el paso del tiempo. Por lo tanto, la adquisición de un piano acústico con todo lo que ello conlleva, puede ser una opción algo arriesgada. De esta manera es recomendable que en estos casos se opte por la opción de un teclado de tipo digital, algo que nos resultará fácil teniendo en cuenta la gran oferta de modelos y precios existentes en el mercado. Es importante observar algunos detalles importantes a la hora de dicha adquisición, ya que de otro modo y debido a la gran cantidad de modelos y características de éstos, podemos equivocarnos en la elección del teclado en cuestión. Los teclados más modestos, que son a su vez los más económicos, suelen contar con 49 teclas (cuatro octavas) y por supuesto no tienen el efecto contrapesado de los pianos digitales, aunque sí responden a la dinámica, es decir, su teclado es sensible a la fuerza con la que pulsamos las teclas. Si tocamos de manera fuerte y agresiva, el sonido emitido será de igual forma fuerte, y si por el contrario interpretamos un pasaje suave y delicado, el sonido emitido será sutil y tenue.

El otro aspecto fundamental de estos teclados es la cantidad de sonidos de que disponen y la calidad de los mismos. Lógicamente daremos preferencia a que el teclado tenga poca cantidad pero que éstos sean de calidad y reproduzcan fielmente el sonido del piano, ya que a menudo el exceso de sonidos no sirve sino para convertirse en una forma de juego que no conduce a nada práctico en el aprendizaje.

Si por el contrario el alumno es adulto o se trata de un niño con el que tenemos ciertas expectativas en una continuidad del aprendizaje incluso a nivel académico, la adquisición de un piano es la opción más recomendable siempre que el presupuesto del que se disponga sea el adecuado. Debemos tener en cuenta que un piano acústico es un instrumento que posee una larga vida útil si se pone especial atención en su mantenimiento y su cuidado, lo cual hace que la inversión económica sea rentable a largo plazo.

Así pues, nos hallamos ante una obra que nos ofrece una magnífica oportunidad para iniciarnos en el apasionante mundo del piano, experimentando así una serie de sensaciones y satisfacciones difíciles de obtener a través de muchas de las actividades que podemos realizar en nuestra vida cotidiana.

Es conveniente que tengamos en cuenta algunas consideraciones a la hora de afrontar el estudio del piano a través de esta obra, ya que con ello garantizaremos el correcto aprendizaje y progreso del mismo. Tal vez la primera y más importante de estas consideraciones sea la constancia diaria y regular a la hora de sentarse a practicar delante del instrumento. Lo más importante es que logremos invertir un espacio de tiempo diario y de manera sistemática, haciendo que la práctica se convierta en una especie de entrenamiento diario que nos sirva para lograr una progresión ascendente en el aprendizaje. No existe un periodo de tiempo específico para empezar a estudiar, pero una buena idea sería comenzar trabajando unos 30 minutos diarios al menos cuatro o cinco días por semana. De este modo, no tardaremos mucho en comenzar a ver resultados satisfactorios.

Otra recomendación para afrontar el aprendizaje, se basa en la disposición física y mental que el alumno debe tener en el momento de la práctica diaria. Es aconsejable que la mente se encuentre en un estado de serenidad y sosiego propiciando de este modo la asimilación de conceptos en muchos casos nuevos para el alumno y de difícil comprensión. Del mismo modo, debemos intentar que el tiempo que el alumno dedique a la práctica sea un tiempo exclusivo para tal cometido, procurando así que no haya nada que provoque disturbios que distraigan la labor que vamos a realizar. Esto último es muy importante, acentuándose aún más en los comienzos, cuando cualquier detalle importante puede escapar por culpa de una pequeña distracción.

La paciencia es otra de las premisas fundamentales a la hora de sentarnos en el piano a practicar. Hay que tener en cuenta que al igual que en otras actividades, al principio el avance en el aprendizaje no es demasiado rápido, por lo que es imprescindible tener paciencia y afrontar la práctica con una gran serenidad, sin que la prisa invada nuestros planes.

Dicho todo esto estamos en disposición de comenzar a conocer el apasionante mundo de la música a través de uno de los instrumentos que han marcado la historia musical y que hoy más que nunca goza de un protagonismo inmejorable en numerosos aspectos artísticos de la sociedad actual.

Primera parte:
Teoría

Historia y evolución del piano

A continuación pasaremos a ver el piano como instrumento en sí, conociendo cómo fueron sus orígenes y qué proceso de transformación ha experimentado con el paso del tiempo desde los primeros instrumentos precursores de éste, hasta el piano que hoy conocemos como tal. Como ya dijimos con anterioridad, no debemos obviar la aparición de toda una serie de instrumentos basados en el teclado del piano. Estos instrumentos son teclados electrónicos en los que el sonido se genera por procedimientos digitales y su importancia en el ámbito musical es tan grande que hoy no se entiende la música sin su existencia. Por ello y como ya hemos dicho, prestaremos especial atención a su aparición y posterior evolución, así como al funcionamiento básico de los mismos.

El piano tal y como lo conocemos, es un instrumento relativamente moderno ya que su aparición data de 1695, aunque lógicamente hasta llegar al piano tal y como lo vemos hoy en día, hay toda una serie de instrumentos que lo preceden y que lo justifican.

Antes de seguir pasaremos a ver la clasificación de los instrumentos actuales, de acuerdo con el modo mediante el cual se produce su sonido:

– IDIÓFONOS: son instrumentos de percusión que carecen de una membrana o parche donde se pueda golpear para producir sonido, es decir, suenan al golpearlos unos contra otros o al percutirlos con algún tipo de varilla o baqueta de madera o metal. Es el caso de maracas, castañuelas, platillos, triángulo, xilófono, vibráfono, etc.

– Membranófonos: al igual que los anteriores son instrumentos de percusión pero el sonido es generado a partir de la vibración de una membrana dispuesta de forma tensa, que previamente ha sido golpeada de manera manual, bien con una varilla o baqueta, bien directamente con la propia mano. Es el caso de tambores, timbales, bongos, congas, etc.

– Cordófonos: en este caso la producción del sonido se realiza a través de cuerdas vibrantes que están suspendidas entre dos puntos a una cierta tensión suficiente para que se produzca una frecuencia de vibración audible. Dentro de este tipo de instrumentos hay varias clases dependiendo del modo de ejecución que empleemos para hacer vibrar las cuerdas. Podemos distinguir tres formas: cuerda frotada, como el violín, viola, violonchelo y contrabajo; cuerda punteada, como la guitarra, mandolina, clave, laud, etc; y cuerda golpeada, como en el caso del piano.

– Aerófonos: se trata de instrumentos en los que la generación del sonido se produce por la vibración de una columna de aire en el interior del propio instrumento. Dentro de éstos, podemos distinguir además varias clases dependiendo de la forma de la embocadura por la que se sopla y del material del que están construidos. Es el caso de trompetas, clarinetes, saxofones, trompas, tubas, flautas, etc.

– Electrófonos: se trata de instrumentos en su mayoría basados en otros de tipo clásico o tradicional, pero que se les ha adaptado un sistema electrónico que, o bien amplifican el sonido original del propio instrumento, o bien generan dicho sonido de manera electrónica e incluso digital. Dentro de este grupo se engloban los más modernos instrumentos como la guitarra eléctrica, bajo eléctrico, órgano eléctrico, sintetizador digital, etc.

Como hemos podido comprobar, el piano se engloba dentro de la familia de instrumentos de cuerda percutida o golpeada, algo que sin duda sorprenderá a gran parte de los lectores. Nos quedaremos con este último concepto para conocer los comienzos de los instrumentos que preceden al piano y comprender así su evolución, es decir, un sistema basado en una o varias cuerdas tensadas convenientemente que al vibrar producen sonido. De este modo nos remontamos al año 3000 a.C. en el continente Africano así como en el sudeste de Asia. Allí aparece un instrumento conocido como CÍTARA que consistía en un pequeño conjunto de cuerdas colocado sobre una tabla de madera a unos centímetros de ésta. De este modo y mediante un elemento punzante o incluso con los mismos dedos de las manos, estas cuerdas se ponían a vibrar produciendo un sonido lógicamente tosco y de difícil afinación pero no por ello sorprendente para el momento histórico en el que se produce. Tengamos en cuenta que a pesar de ser un instrumento excepcionalmente básico, tenía una polifonía de varias notas, es decir era capaz de generar varios sonidos simultáneamente. Pero no por ello este rudimentario invento dejaba de tener, como es lógico, una serie de limitaciones. La más significativa es la escasa resonancia que ofrecía, ya que al tener tan sólo una tabla como soporte, dicha resonancia era prácticamente nula. Esta limitación se consiguió eliminar posteriormente con la aparición de un nuevo instrumento llamado MONOCORDIO, en el cual la tabla de madera se había sustituido por una caja de resonancia también construida en madera, sobre la cual se disponía una sola cuerda de mayor longitud que en la cítara. En este caso y al contrario que la cítara, el monocordio era un instrumento de tipo monofónico ya que sólo estaba dotado de una única cuerda, lo que volvía a añadir una limitación considerable en el momento de la interpretación.

Por ello y gracias a la constante búsqueda del hombre en ir más allá, aparece un instrumento llamado SALTERIO, que es una mezcla de la cítara y el monocordio. En este caso y al igual que la cítara, se trata de un instrumento de tipo polifónico, ya que tiene dispuestas una serie de cuerdas de distintas longitudes. De este modo se amplía la tesitura, siendo capaz de emitir sonidos graves y agudos. Estas cuerdas afinadas de muy distintas formas dependiendo de la zona en la que se construyera el instrumento, están dispuestas en un bastidor sobre una tabla armónica con forma trapezoidal, que actúa como caja de resonancia al igual que en el caso del monocordio. En este caso, se puede observar un tipo de fabricación algo más cuidada y refinada, sobre todo teniendo en cuenta que nos hallamos en plena Edad Media. En el caso del salterio, su fabricación y posterior uso, aún estaba pensado para ser tocado con las manos o algún tipo de varilla metálica, de hueso o madera. Pero como en otros casos, esta característica evoluciona con el tiempo gracias a que el hombre comienza a buscar algún tipo de artefacto que se sitúe entre las manos y el instrumento musical propiamente dicho. Los primeros intentos por instalar en estos instrumentos algo parecido a las teclas actuales, datan del siglo XII. Con este hecho no sólo se ganaba en comodidad sino que además se conseguía una mayor precisión a la hora de golpear la cuerda, lo que redundaba a favor de una interpretación más refinada y virtuosa. Así pues, empiezan a aparecer una serie de instrumentos basados sobre todo en el salterio, a los que se la habían añadido una serie de teclas de madera construidas y colocadas de una forma muy rudimentaria. Estas teclas al ser pulsadas, accionaban a su vez unas piezas a menudo metálicas y llamadas PLECTROS, que finalmente golpeaban las cuerdas, logrando así el objetivo buscado desde un principio.

Como es de suponer este tipo de instrumentos seguían siendo muy toscos, y tanto su diseño como el sonido que éstos eran capaces de generar, dejaban mucho que desear. Las teclas que conformaban el teclado no son ni mucho menos como las que hoy conocemos. Eran grandes y pesadas piezas de madera cuya forma y medida, convertían la interpretación en una labor difícil y accidentada. Del mismo modo el resto de piezas que completaban el mecanismo que accionaba el plectro que a su vez pellizcaba la cuerda, seguía siendo demasiado rudimentario, lo que conformaba una maquinaria demasiado tosca e imprecisa para una labor tan sutil como la interpretación musical. Desde el final de la Edad Media hasta la aparición del piano como tal, los constructores europeos crean multitud de proyectos basados en el salterio con el único fin de conseguir instrumentos más refinados tanto en su construcción como en su parte técnica.

A principios del siglo XVI surge un instrumento llamado ESPINETA en el que se pueden apreciar una serie de mejoras significativas si lo comparamos con los instrumentos anteriores. Se cree que la espineta surge de la mano de Giovanni Spinetti y en ésta ya podemos apreciar ciertas mejoras a nivel estético y técnico. La espineta posee una caja más grande y más elaborada que el salterio consiguiendo de este modo que su sonoridad sea mayor y más rica en armónicos. Igualmente, se añade un número mayor de cuerdas dispuestas de izquierda a derecha desde la más larga y por tanto más grave a la más corta que resulta así la más aguda. En la espineta ya se observa un cierto refinamiento estético que nos da una idea de la inquietud de la sociedad del momento por estas cuestiones, lo que directamente se traduce en la aparición de instrumentos más bellos y elegantes que comienzan a instaurarse en los círculos sociales más selectos.

El siguiente paso en la escala evolutiva del piano se produce con la aparición del CLAVE, también conocido como CLAVECÍN y que durante el siglo XVII y primera mitad del siglo XVIII se convertirá en uno de los instrumentos más utilizados. Nos situamos por tanto en el Barroco musical, que abarca aproximadamente desde el año 1600 hasta 1750. Con el clave ya se comienzan a apreciar grandes cambios a todos los niveles. El primero y tal vez más significativo, es que la cuerda en este caso no es golpeada por ninguna pieza como en el salterio y la espineta, sino que es pellizcada. Tal vez en una búsqueda constante por conseguir un mecanismo que ofreciese una mayor variedad de matices en el sonido, en este caso se produjo una ligera regresión a nivel técnico. En el caso del salterio así como en los instrumentos anteriores a éste, la cuerda era golpeada por una varilla normalmente de metal. Este hecho daba lugar una gran variedad de matices sonoros que abarcaban desde el sonido más suave y sutil hasta el más fuerte y agresivo. Por ello y al cambiar la forma de hacer sonar la cuerda pasando de percutirla a pellizcarla, se producía el retroceso al que anteriormente nos hemos referido. Durante mucho tiempo, los constructores de la época intentaron rectificar este error buscando y creando soluciones que la mayoría de las veces resultaban demasiado complejas. De este modo se comienza a incluir un número mayor de cuerdas por nota así como todo tipo de elementos mecánicos en forma de pedales, palancas y resortes, que ayudan de alguna manera a conseguir una amplia variedad de matices. El precio que el intérprete estaba obligado a pagar por este relativo avance, era muy alto ya que la interpretación se convertía en algo demasiado complicado. Aun así y como ya hemos dicho, el clave se crea un espacio propio en el Barroco musical, convirtiéndose en un instrumento sumamente popular que consigue competir con el órgano, que sin duda era el protagonista del momento, consiguiendo incluso que muchos organistas comenzaran a utilizar el clave como instrumento de ensayo doméstico. Pero el protagonismo lo seguía regentando el órgano ya que poseía una serie de cualidades que lo hacían erigirse como un instrumento muy completo. La más importante tal vez, la capacidad que éste poseía para emitir notas mucho más largas que el clave.

Pronto comienzan a apuntar los primeros intentos de fabricar un instrumento que venga a resolver los inconvenientes técnicos del clave. Así surge el CLAVICORDIO que se convertirá en el directo antecesor del piano clásico. El mecanismo del clavicordio se basaba en el esquema técnico del clave, pero en este caso la acción de la tecla movía una pieza metálica que tocaba la cuerda creando a lo largo de ella una división, variando así su longitud. La parte que quedaba dividida era puesta a vibrar mediante otra pieza, a la vez que una pequeña cinta de fieltro controlaba el final de la vibración de dicha cuerda. En este proceso residía el avance fundamental del clavicordio en relación con su directo antecesor que, como hemos visto, era el clave. El ataque de las notas era suave pero como el acceso a las mismas era a su vez directo, dicho ataque era susceptible de variaciones, lo que daba lugar a un gran número de matices sonoros. De este modo, si se golpeaba la tecla con fuerza, el sonido resultante era fuerte y si por el contrario se acariciaba sutilmente, el sonido era suave. Aun así el clavicordio resultaba un instrumento de complicado funcionamiento y que seguía teniendo algunas limitaciones en la interpretación. La altura del sonido dependía de la longitud del extremo de la cuerda que quedaba separada. De este modo, en algunos clavicordios una misma cuerda servía para cinco teclas, lo cual imposibilitaba la ejecución de sonidos adyacentes. Los primeros clavicordios eran instrumentos pequeños que contenían un número limitado de cuerdas, lo que daba como resultado una tesitura limitada.

Problema éste resuelto con la adición de un número mayor de cuerdas y teclas que dan lugar a una serie de instrumentos de mayor tamaño y sonoridad. Poco a poco comienzan a surgir toda una serie de variantes del clavicordio, que gradualmente van introduciendo modificaciones en el mecanismo del mismo. Así los materiales van cambiando y comienzan a introducirse piezas de cuero, metal o pluma de ave en la construcción de estos instrumentos.

Durante un largo periodo de tiempo, el clavicordio compitió con el clave sin demasiado éxito dado que aún era un instrumento que tenía algunas limitaciones. En el ámbito de las grandes salas de conciertos, el clave era el instrumento predominante ya que poseía una mayor sonoridad, relegando así al clavicordio a un uso en el plano doméstico.

Uno de los compositores fundamentales del Barroco y por supuesto de la música clásica de todos los tiempos, fue Johann Sebastián Bach, autor que compuso entre otras muchas, un gran número de obras para clave y clavicémbalo. Hasta 1717, J. S. Bach compone gran número de preludios, fugas, tocatas y *capriccios* musicales. A partir de este momento escribe obras tan importantes como el conocido «Clave bien temperado», sin duda una de las obras más importantes escritas para teclado.

Poco a poco, el Barroco se va desvaneciendo y empieza a surgir un nuevo movimiento musical clave en la historia del arte y la música en particular: el Clasicismo. Nos situamos en el siglo XVIII y más concretamente en la época de la Ilustración, en la que el hombre alcanza su mayoría de edad gracias entre otras cosas a una importante ruptura con el antiguo orden y a la llegada de un nuevo concepto de la dignidad, la libertad y la felicidad del hombre.

En el Barroco, la cultura era de tipo cortesano y la música se daba en las iglesias y los palacios. Sin embargo, en el Clasicismo la música pasa al ámbito de las casas privadas y los salones de té, transformándose de este modo en un tipo de música de tipo burguesa.

Así pues al comienzo de este periodo surge de la mano del constructor italiano de claves Bartolomeo Cristofori el instrumento que hoy conocemos como piano. Como cabe suponer no existe una fecha exacta para situar la fabricación del primer ejemplar de piano considerado como tal por su tipo de construcción, pero podemos fijar su aparición a comienzos del siglo XVIII y situarla geográficamente en la ciudad italiana de Florencia. Si retomamos la evolución que habían sufrido tanto el clave como el clavicémbalo, debemos recordar que con este último ya se había producido un importante avance en la forma de hacer vibrar las cuerdas, ya que se había pasado de la cuerda pellizcada en el clave, a la cuerda percutida en el clavicémbalo. Pero aun existía una gran inquietud por mejorar el sonido del clavicémbalo que seguía siendo un instrumento con un sonido metálico y carente de expresividad. Además, los compositores cada vez iban creando obras de mayor dificultad, lo que exigía mecánicas capaces de ofrecer una virtuosidad equivalente a la dificultad de dichas obras.

Veamos por tanto cómo es el nuevo instrumento creado por Cristofori, que aun hoy mantiene un gran número de similitudes que lo hacen prácticamente idéntico en su planteamiento al piano de cola actual.

Cuando nos referimos a este primer piano, lo hacemos sobre un piano de cola, es decir la maquinaria se encuentra situada sobre una superficie horizontal en el interior de una caja que conforma el piano en sí. Con el paso del tiempo y debido en gran medida a la falta de espacio en los ámbitos domésticos, surgen otros tipos de piano como los verticales y posteriormente ya en nuestros días los pianos digitales. A todas estas variedades de instrumento, les dedicaremos más adelante un espacio en el que explicaremos tanto su historia como su funcionamiento.

En el nuevo instrumento la innovación no consistía en el modo de hacer vibrar las cuerdas, ya que al igual que en el clavicordio se usaban unas piezas de madera que golpeaban dichas cuerdas. La innovación principal estribaba en el diseño del mecanismo que posibilitaba esta acción. Este mecanismo se basaba en la separación de la tecla y la pieza en forma de martillo que golpeaba la cuerda, es decir, en el piano la tecla y el martillo eran dos piezas separadas e independientes, algo que no era así en el caso del clave y el clavicémbalo. Esto, que puede parecer algo sin importancia, hace que el piano sea un instrumento con grandes posibilidades de interpretación gracias a la gran variedad de matices dinámicos y coloración tonal. Paralelamente a estas dos piezas (tecla y martillo), otro elemento mecánico construido en madera y fieltro se ocupaba de parar la vibración de la cuerda. Este elemento era el apagador y actuaba de la siguiente manera: la tecla tenía una doble misión, por un lado golpear la cuerda y por otro lado y al soltar la misma, accionar el apagador en el momento de soltar de nuevo dicha tecla. Es decir, si la tecla se encontraba en reposo, el apagador se encontraba en contacto con la tecla para impedir cualquier tipo de vibración de la misma. De este modo se conseguía dar a la nota la duración exacta requerida al igual que se podían tocar multitud de notas cortas y seguidas de manera repetitiva, consiguiendo un perfecto ataque y final de cada una de ellas. En el aspecto externo, el piano construido por Cristofori tiene ya unas dimensiones considerable ya que introduce un mayor número de cuerdas y por consiguiente de teclas. El planteamiento de su construcción era el mismo que el de sus antecesores, ya que se disponía la maquinaria sobre una tabla armónica que era la encargada de transmitir la vibración actuando de caja de resonancia. De este modo todo ello quedaba incluido dentro de una caja de madera cuya construcción y diseño estético eran cada vez más cuidados.

Éste era, a grandes rasgos, el piano construido por Cristofori a principios del siglo XVIII. Se cree que Bartolomeo Cristofori, construyó tan solo tres pianos a lo largo de su vida. El más antiguo datado en 1720 se encuentra en el Museo Metropolitano de Arte de Nueva York y fue bautizado con el nombre italiano de PIANO-FORTE debido a la posibilidad que este poseía para tocar sonidos suaves (piano) y fuertes (forte).

Como ya mencionamos anteriormente, la principal innovación del piano de Cristofori consistía en el modo en que se producía la vibración de la cuerda, es decir, a través de martillos que golpeaban la misma. El esquema técnico de este primer piano es básicamente idéntico al piano actual, aunque actualmente contemos con grandes mejoras a todos los niveles. Aun así, Cristofori sigue investigando y buscando mejoras constantes que puedan corregir los inconvenientes y defectos técnicos del primer piano que construyó. De este modo, se producen avances significativos como el aportado por el sistema «una corda», que aún hoy en nuestros días sigue vigente en todos los pianos de cola que se construyen. Este sistema se basa en la posibilidad de desplazar lateralmente el mecanismo del piano de tal manera que al pulsar una tecla el martillo correspondiente a dicha tecla, golpee un número menor de cuerdas consiguiendo así un sonido más leve. Para comprender este último concepto debemos adelantar una pequeña explicación sobre el cordaje del piano de cola. El sistema de cuerdas que conforman dicho cordaje varía en función de la época y el constructor, pero en general muchas de las cuerdas que conforman el cordaje del piano son dobles e incluso triples, es decir, una sola nota está compuesta de dos o tres cuerdas afinadas en la misma frecuencia. Por tanto, al pulsar una tecla, el martillo que acciona dicha tecla golpea las tres cuerdas simultáneamente. Este tipo de disposición del cordaje hace que el piano tenga unas mejores características sonoras, lo que añade a su vez, una mayor calidad al instrumento. Tengamos en cuenta que al aumentar el número de cuerdas aumentamos factores como la sonoridad y el número de armónicos que se generan por las vibraciones de las mismas. Si recordamos las características del clave observamos que una de sus limitaciones era precisamente su escasa sonoridad así como su sonido excesivamente metálico. Una vez explicado este detalle técnico podemos comprender cómo funciona el sistema «una corda» introducido por Critofori en el piano de cola creado anteriormente por él mismo. Como hemos mencionado, este sistema se sigue utilizando en los pianos de cola actuales, consiguiendo emitir una gama inmensa de matices sonoros en el ámbito de los matices más suaves y sutiles.

Las primeras composiciones para piano se pueden situar en torno a 1732 y, por primera vez, se separa el repertorio de órgano y piano. El nuevo carácter de la música en el Clasicismo, genera nuevos géneros y estructuras formales para el piano. Gracias a las características técnicas y las posibilidades que ofrece el piano, los compositores comienzan a buscar una mayor expresividad y sensibilidad en sus composiciones, hallando estos factores en la melodía de la mano derecha, pasando así el acompañamiento de la mano izquierda a un segundo plano. Por ello el piano introduce una nueva forma de expresión y de pulsación, llena de contrastes y de vivacidad.

Con todo esto, el órgano queda relegado a un segundo plano y el piano ocupa un lugar de privilegio convirtiéndose en el instrumento más importante del Clasicismo, a pesar de las limitaciones técnicas del momento, que lo hacían un instrumento de mecánica poco exacta y de sonido poco equilibrado.

No se puede comprender la existencia del piano en el Clasicismo y en general en la historia de la música sin la figura de sus tres representantes más importantes: Joseph Haydn, Wolfgang Amadeus Mozart y Ludwing van Beethoven. Estos tres compositores crean una gran obra que aún hoy forma parte del repertorio fundamental para piano.

J. Haydn compuso hasta el año 1795 más de 50 sonatas para piano, además de toda una serie de piezas sueltas y variaciones musicales para este instrumento. Sus sonatas reflejan un estilo sentimental basado en estructuras formales más libres y melodías de gran expresividad. Ya a partir de 1780, Haydn comienza a estar influido por la obra de Mozart, creando un repertorio muy variado y caracterizado por una gran riqueza de ideas.

En el caso de Mozart, y como de todos es sabido, sin duda estamos hablando de uno de los grandes genios de la música junto con Beethoven. Wolfgang Amadeus Mozart representó el máximo exponente del piano de su tiempo, logrando convertirse en un excelente pianista famoso por su capacidad de improvisar y realizar todo tipo de variaciones de un mismo tema. Un buen ejemplo de esta capacidad de improvisación y de sus posibilidades a nivel creativo, lo constituyen las variaciones, preludios y fantasías para piano. Pero su obra más importante para este instrumento está formada por 18 sonatas, tres fantasías, y como hemos señalado, toda una serie de variaciones tanto a dos como a cuatro manos. Debemos tener en cuenta que Mozart compuso todas sus obras para interpretarlas él mismo, lo que en muchas de estas obras se traduce en cierta huida de una ejecución demasiado mecánica y virtuosa, dejando paso a un concepto estético mucho más armónico y vital.

Por último, Ludwing van Beethoven, que al igual que en el caso de Mozart, estaba considerado como un excelente pianista además de compositor, y su capacidad para improvisar no tenía límites. Por ello, la suma de todas estas virtudes lo convirtieron en un referente fundamental en la interpretación pianística de todo el siglo XIX. Su obra más importante para piano está formada por 32 sonatas, 22 variaciones y toda una serie de fantasías, bagatelas y piezas sueltas en una gran variedad de formas y formatos, algunas muy conocidas popularmente como ocurre con el «Para Elisa».

Hacia el año 1730, el piano concebido por Bartolomé Cristofori comienza a evolucionar y no precisamente de la mano de éste, sino de un constructor de órganos alemán llamado Gottfried Silbermann. Este constructor realizó notables mejoras en el mecanismo de Cristofori que seguía teniendo serias limitaciones a la hora de interpretar, ya que aún se trataba de una maquinaria tosca, pesada y poco precisa. Así pues, Silbermann comienza a producir una serie de pianos más refinados en lo que a mecanismo se refiere, a la vez que consigue sacar un sonido de mayor calidad. Estas modificaciones traerían consigo grandes cambios en la forma tanto de interpretar como de componer música para piano.

El paso acometido por Silbermann serviría como punto de partida para el desarrollo de una serie de escuelas como la inglesa y la alemana. A través de estas escuelas se produjo la expansión definitiva del piano clásico, dando lugar a la aparición de otras escuelas de las que salieron algunos de los mejores constructores de pianos de toda la historia.

La escuela inglesa nació en Londres de la mano de dos discípulos de Silbermann que viajaron a Inglaterra y lograron establecerse como constructores. Estos dos constructores lograron desarrollar un mecanismo más evolucionado que más tarde se denominaría «mecánica inglesa».

La escuela alemana fue creada por otro de los discípulos de Silbermann, quizá el más aventajado de ellos. Éste introdujo una serie de variantes en el mecanismo ya existente de un diseñador llamado Schroter, creándose de este modo la «mecánica alemana».

Como dijimos con anterioridad es a partir de la mitad del siglo XVIII cuando se produce la verdadera expansión en la construcción de pianos. Se producen hechos significativos como la aparición del que se cree primer piano vertical de la historia, cuya fabricación se sitúa en Londres sobre el año 1800. Otro de los hechos más importantes de este momento es el comienzo de la fabricación de pianos en Estados Unidos, más concretamente en el estado de Filadelfia. Esto es algo que nos da una idea de la gran expansión que comienza a experimentar, así como el papel protagonista que logra ocupar el piano como instrumento musical.

A partir del año 1800 se empieza a conformar lo que se puede considerar como el piano moderno tal y como hoy lo conocemos, surgiendo avances tan importantes como la implantación del mecanismo de pedales, del que más tarde veremos su funcionamiento.

Gracias toda esta expansión comienzan a surgir tanto en Europa como en Estados Unidos los mejores constructores de pianos de toda la historia, la mayoría presentes en el momento actual.

En el año 1828, Ignaz Bösendofer funda en Austria una fábrica de pianos, creando de ese modo una de las mejores y más importantes marcas de pianos de la historia, hecho que actualmente aún se mantiene con absoluta vigencia.

Posteriormente y de la mano del alemán Heinrich Steinway, nace otra de las firmas míticas en la fabricación de pianos. Éste viaja a Estados Unidos y se establece en la ciudad de Nueva York para crear «Steinway and Sons», dando lugar de ese modo a una de las marcas más importantes en la construcción de pianos en toda la historia de este instrumento, cuya calidad se sitúa actualmente en las posiciones más altas dentro de la élite musical.

Steinway introduce avances decisivos en la fabricación de pianos, como el pedal de sostenido o «sostenuto», que aunque en modelos anteriores ya existía, aun generaba grandes problemas de precisión. Este pedal del que más tarde veremos su funcionamiento, es el encargado de liberar la cuerda para que esta vibre con absoluta libertad, convirtiéndose en parte imprescindible del piano dado las posibilidades interpretativas que éste puede llegar a ofrecer.

Otro de los hechos que se producen bajo la tutela de Steinway es la fabricación del primer piano vertical moderno tal y como hoy lo conocemos. Este tipo de piano dista mucho del piano vertical aparecido en Londres en 1800, ya que introduce una disposición de sus cuerdas de forma cruzada y utiliza una sola tabla armónica para conseguir transmitir las vibraciones.

Paralelamente a la labor de Steinway, surgen en Alemania otros dos constructores fundamentales en la historia del piano como los dos anteriores aún vigentes en nuestros días. Se trata de Carl Bechstein y Julios Blüthner, ambos de origen alemán y afincados en Leizpig y Berlín respectivamente. De esta manera, estos dos constructores comienzan a hacerse con el mercado europeo en lo que a venta de pianos se refiere, por lo que rápidamente Steinway instala una sucursal de Steinway and Sons en Hamburgo para intentar competir con el resto de constructores alemanes.

A partir del final del siglo XIX podemos ya comenzar a hablar del piano moderno tal y como se conoce actualmente ya que las modificaciones que han ido surgiendo a lo largo del siglo XX no han sido lo suficientemente importantes técnicamente como para ser tenidas en consideración.

De este modo, el piano moderno queda enmarcado cronológicamente en el periodo que abarca desde la última década del siglo XIX hasta el momento actual. Dentro de los pianos modernos tenemos dos tipos muy diferenciados: el piano vertical y el piano de cola. El piano vertical es una variante del piano de cola, siendo su disposición de forma vertical como su propio nombre indica. En este tipo de pianos todo el conjunto de la maquinaria se encuentra en posición perpendicular al suelo al contrario que los pianos de cola en los que dicha maquinaria se encuentra en una ubicación paralela al mismo. Dentro de estos dos grupos de pianos podemos encontrar varios tamaños que en la mayoría de los casos va estar directamente relacionado con el uso para el que sea destinado dicho piano. En los pianos verticales podemos encontrar dos grandes tipos: el vertical grande que mide algo más de 140 centímetros de altura y el vertical de estudio que suele variar desde los 110 hasta los 139 centímetros. En realidad, ambos tipos de piano se utilizan mayoritariamente en los ámbitos del estudio y la enseñanza, algo debido en gran medida a la comodidad que representa su reducido tamaño si se compara con el piano de cola. Otro aspecto que varía en función de los diferentes tamaños que hemos mencionado es la altura a la que se encuentran ubicados los mecanismos de cada modelo con respecto al teclado. En los pianos verticales más altos ésta se encuentra obviamente más elevada que en los modelos más pequeños, variando su altura desde los 40 centímetros en los primeros hasta los 20 centímetros en los segundos. Como ya hemos dicho, estos pianos suelen estar destinados al ámbito doméstico o docente, enfocados por lo tanto para el estudio del instrumento, lo que nos hace suponer que no se busca en ellos una excelente sonoridad y unas inmejorables prestaciones. Esto último no quiere decir que los pianos verticales sean una mala adquisición ni mucho menos, ya que actualmente se construyen pianos de este tipo capaces de ofrecer prestaciones similares a las de un piano de cola y muy validos para todo tipo de cometidos.

Cuando hablamos de pianos de cola podemos también distinguir varios tamaños en función del uso para el que están diseñados. Los más pequeños considerados como pianos «colines» tienen una longitud que varía desde los 150 hasta los 180 centímetros aproximadamente. A continuación se encuentra el piano de media cola que tiene una longitud de entre ciento ochenta y doscientos cincuenta y cinco centímetros. Por último, tenemos el piano de gran cola que tiene una longitud de más de 256 centímetros y que por lo tanto, es el piano de mayor tamaño de todos los que podemos encontrar. Estas medidas no son estándar ni mucho menos ya que cada fabricante tiene sus propios modelos con características propias. De estos tres tipos, el piano colín y el piano de media cola están diseñados fundamentalmente para un uso de estudio ofreciendo al alumno una herramienta de una gran calidad. El piano de gran cola es uno de los instrumentos más complejos y de mayor coste económico de todos los que podemos encontrar en la actualidad. Estas características hacen que este tipo de piano sea un instrumento reservado para cometidos muy específicos como su uso en grandes espacios de conciertos y en las grabaciones de los más grandes intérpretes de música para piano.

Hasta aquí hemos visto la evolución que ha experimentado el piano clásico desde su nacimiento a principios del siglo XVIII hasta el piano de cola actual. Pero no podemos obviar la importancia que ha tenido y está teniendo aun hoy, la aparición de los teclados de tipo eléctrico y electrónico. Como decimos, debemos prestar atención a este tipo de instrumentos que desde hace ya unas décadas ocupan un papel protagonista en el ámbito musical. En contra de lo que se pueda pensar, estos instrumentos no han llegado para sustituir al piano ni mucho menos, sino que han ocupado un lugar complementario a éste, ayudando incluso a que su estudio sea más accesible para un número importante de futuros alumnos y entusiastas de la música.

Para comenzar a conocer cómo aparecieron los primeros instrumentos de este tipo, debemos remontarnos a comienzos del siglo XX. El nacimiento del teclado viene dado por la necesidad constante por parte de los constructores, de explorar e investigar para lograr instrumentos cada vez más evolucionados y a su vez técnicamente acordes con los tiempos. Por otro lado, ya desde hace algunas décadas se venía buscando un tipo de sonoridad distinta a la de los instrumentos acústicos que no ofrecían nada nuevo. Por ello a principios del siglo XX, se producen los primeros intentos de unir la electricidad con el piano acústico tradicional. El piano de cola se había establecido ya como uno de los instrumentos predominantes que gobernaban el ámbito musical en las grandes salas de conciertos, pero esto traía consigo una serie de dificultades a nivel técnico. La principal de estas dificultades venía generada por la escasa sonoridad que ofrecía el piano de cola cuando éste se encontraba rodeado de una gran orquesta, a lo que se sumaba la mala calidad de algunos de estos espacios que entorpecían la correcta transmisión del sonido en su interior. De este modo se producían los primeros pianos amplificados que a la vez que solucionaban el problema del volumen, ofrecían nuevas posibilidades de sonido. Esta búsqueda constante por experimentar con el sonido da lugar a la aparición de un gran número de dispositivos capaces de generar sonido por diversos procedimientos. A partir de los años 30 comienzan a surgir los primeros generadores de sonido, que sorprendentemente, no tenían teclado para hacerlos sonar. Éstos estaban dotados de una serie de pinzas metálicas con un cable cada una, por medio de las cuales y mediante el contacto de las mismas entre sí, se lograba producir un sonido determinado por el intérprete. El sonido en estos aparatos se producía por medio de una corriente eléctrica, que mediante complejos circuitos se transformaba en una señal sonora. Este dispositivo no se podía considerar un teclado como tal, ya que como hemos señalado con anterioridad, no disponía de ningún sistema incorporado de teclas, pero constituía el germen de lo que sería más tarde el teclado electrónico y digital.

De este modo llegamos a la mitad del siglo XX y ya podemos encontrar un teclado con idéntica disposición de teclas al teclado del piano, que se encuentra asociado a estos generadores de sonido de los que hemos hablado. La aparición de estos teclados, hace que los compositores de la época comiencen a experimentar con la variedad de sonidos y timbres, que dicho sea de paso, no eran unos sonidos muy convencionales. Así surge un gran número de obras englobadas en un nuevo género musical, la «música electroacústica».

Pero la música comienza a evolucionar de una manera mucho más rápida de lo que lo había hecho anteriormente. Por ello, de la mano de esa evolución y paralelamente a la misma surge una gran inquietud por descubrir sonidos nuevos, a veces de tipo más estridente que los que ofrecían hasta el momento los instrumentos acústicos tradicionales.

En 1951 surge en Alemania y más concretamente en la ciudad de Colonia, el primer estudio de música electrónica, al que le siguen posteriormente ciudades como Bruselas, Milán o París. Paralelamente, en Estados Unidos irían surgiendo el mismo tipo de estudios electrónicos de la mano de universidades como las de Columbia y Princeton. En este momento se sitúa la línea de salida para el comienzo de una carrera vertiginosa en el diseño y fabricación de instrumentos de teclado en los que la generación del sonido se produce por medios electrónicos. Debemos tener en cuenta que estos teclados que van surgiendo a partir de 1950 son complejos dispositivos de gran tamaño y considerable dificultad de uso, algo que los convierte en instrumentos poco accesibles para la gran mayoría de los músicos de ese momento. Los teclados que surgen a partir de este momento reciben el nombre de «sintetizadores». Éstos se basan en un complejo sistema generador de tonos capaz de emitir un número inmenso de sonidos con diferentes timbres, ataques y, en definitiva, todos los parámetros que componen dicho sonido como tal, todo esto a su vez está controlado por el consiguiente teclado que hace de mecanismo de acceso para interpretar la melodía requerida. Los teclados que van surgiendo a partir del año 1960 van siendo cada vez algo más pequeños y manejables, lo que facilita poco a poco su proceso de expansión y uso a nivel cotidiano entre los músicos de mayor actualidad en ese momento. En 1954 Bob Moog crea en Estados Unidos su propia compañía de desarrollo y fabricación de éste y otros tipos de instrumentos similares. Una década después y bajo el nombre de sintetizadores «Moog» empieza a comercializar sus primeros sintetizadores modulares, basados en uno o varios generadores de tono a los que se han añadido otra serie de circuitos que pueden modificar las ondas sonoras, dando lugar como señalamos anteriormente, a una combinación casi ilimitada de sonidos. Cabe señalar una característica muy importante propia de este tipo de teclados, que con el tiempo se convertiría en una limitación preocupante. Esta característica era la escasa polifonía que eran capaces de generar, es decir, la limitación de notas simultáneas que se podían tocar en ellos. Al comienzo, los teclados creados por Moog eran de tipo monofónico o lo que es lo mismo, no eran capaces de generar un mínimo de dos sonidos simultáneamente. Como podremos observar posteriormente, esta característica cambiará con el paso del tiempo y se lograrán instrumento con un elevado número de polifonía.

Para crear este tipo de teclados, Bob Moog estuvo muy influido por compositores como Herbert Deutsch, que movido por la necesidad de encontrar nuevas sonoridades a través de un instrumento de tecla, se puso en contacto con Moog para que éste crease el primer sintetizador modular.

La aparición de los sintetizadores Moog fue decisiva en el mundo de la música, ya que se convirtieron en instrumentos legendarios que incluso llegaron a marcar un estilo de música muy concreto, debido al extenso uso que se hizo de ellos por parte de los más importantes músicos y compositores. Cabe señalar el trabajo que publicó el músico Wendy Carlos que salió al mercado en el año 1968 con el nombre de «Switched On Bach». Esta obra estaba basada casi en su totalidad en el uso de sintetizadores Moog, hecho que sumado al millón de copias vendidas, dio como resultado un gran aumento de las ventas para la compañía de Bob Moog. Posteriormente y, en el año 1970, nace el «Mini Moog», que como se desprende de su nombre era una versión reducida del Moog original. En contra de lo que puede llevar a pensar el nombre que se le dio, era un teclado algo más avanzado que los primeros instrumentos creados por este constructor, ya que su sonido había sido mejorado y algunas características vitales como la polifonía que eran capaces de generar se había aumentado ya a varias notas a la vez. Con la aparición del Mini Moog, la implantación de estos sintetizadores dentro del ámbito musical fue total ya que ponía un instrumento que hasta el momento había sido poco transportable, al alcance de cualquier músico que tuviese la necesidad de moverlo en las actuaciones en directo. Durante algunos años, los teclados Moog se tornaron indispensables hasta tal punto que no se concebía una grabación sin su uso aunque este fuera meramente testimonial.

A partir de este momento surgen multitud de teclados basados en este mismo sistema de generación del sonido, que llegan para competir con Moog. A su vez, éste desarrolla un gran número de modelos derivados de los primeros modulares, que abarcan todo tipo de características sonoras y cuyo uso es igualmente extendido a lo largo de todas las culturas musicales, sobre todo en el pop, el rock y el jazz.

El siguiente salto cualitativo en la evolución y desarrollo de este tipo de teclados se produce en 1980 con la aparición de los sintetizadores digitales. Hasta el momento, el sonido en los teclados y sintetizadores se producía de forma eléctrica y electrónica, es decir, por medio de circuitos impresos que transformaban una corriente eléctrica en una señal audible. A este tipo de sistemas se les denominaría «analógicos» quedando rápidamente obsoletos, ya que la tecnología a partir de los años 60 empieza a evolucionar con gran rapidez y la era digital comienza a transformar la mayoría de los dispositivos analógicos que forman ya parte de la vida cotidiana en ese momento. Con esta nueva tecnología se da un paso muy importante en dos direcciones fundamentales: la calidad del sonido y el tamaño de los instrumentos. Los teclados analógicos tenían un tamaño y un peso la mayoría de las veces desmesurado. En su interior se ubicaban numerosas placas en las que se situaban los circuitos eléctricos y electrónicos que transformaban la corriente en sonido, todo ello adornado con una gran carcasa de madera en la que a la vez se encontraban dispuestos toda una serie de controles en forma de botones e interruptores. Por tanto es fácil imaginar el peso que podían alcanzar estos aparatos y lo difícil que se hacía su uso y transporte. Con la aplicación de la tecnología digital en el desarrollo de estos instrumentos, esta cuestión se reduce considerablemente ya que precisamente esta tecnología se basa en cierta medida en el diseño de dispositivos mucho más reducidos, que funcionan gracias a uno o varios microprocesadores que son capaces de generar millones de operaciones matemáticas que a su vez se transforman en ondas sonoras. Este proceso, como podemos imaginar, es mucho más complejo lo que aquí se expone pero en líneas generales nos puede dar una idea del funcionamiento de estos nuevos teclados digitales.

A su vez, otro de los inconvenientes antes señalados, que consistía en la relativa calidad de los sonidos que generaban los teclados analógicos, con la aparición de los sistemas digitales va a ser solucionado en gran medida. Gracias a este tipo de proceso digital el sonido de los nuevos teclados es mucho más limpio y estable que antes. Tengamos en cuenta que en los teclados analógicos el sonido provenía de una corriente eléctrica modificada a su paso por una serie de circuitos eléctricos, lo que paralelamente provocaba un nivel de ruido considerable. Por otro lado, los nuevos teclados digitales son capaces de imitar por medio de esas complejas operaciones matemáticas, cualquier sonido existente, es decir, podemos contar por vez primera con un teclado de piano con el que se puede tocar una melodía con el sonido de cualquier otro instrumento. A esta característica se le añade el aumento de la polifonía, que en la mayoría de los casos se sitúa en torno a las 16 notas o voces como mínimo. De este modo, a comienzos de la década de los años 80 y de la mano de firmas tan conocidas actualmente como Yamaha, Korg o Roland, empiezan a comercializarse los primeros teclados sintetizadores de tecnología digital, dotados de multitud de sonidos de todas las naturalezas (sonidos acústicos, electrónicos, industriales, ruidos diversos, percusión, …) que abren un nuevo camino en la forma de componer e interpretar música.

No podemos entender la evolución de los teclados desde la primera mitad del siglo XX, sin tener en cuenta la aparición de un nuevo formato de transmisión de datos, que aplicado a estos últimos teclados digitales constituyen un verdadero avance tecnológico aplicado a la música. Este nuevo sistema se llama «formato MIDI» y como acabamos de señalar se basa en la posibilidad de comunicar varios dispositivos digitales (teclados, ordenadores, módulos de sonido, …). Este formato es de carácter universal por lo que cualquier teclado o dispositivo de cualquier fabricante que lo incorpore, es totalmente compatible con el resto de dispositivos que lleven implementación MIDI incluida en sus características. Actualmente la práctica totalidad de los teclados digitales que se fabrican llevan incorporado este formato. Las ventajas en este tipo de formato son innumerables pero quizá la más importante sea la independencia que aporta al músico a la hora de componer y de interpretar. Mediante la comunicación vía MIDI, podemos configurar de una manera relativamente sencilla y barata un pequeño estudio de grabación doméstico, mediante el cual podemos crear y posteriormente materializar una obra musical.

Este tipo de configuraciones se basa en un ordenador personal con un software específico desarrollado normalmente para poder grabar y posteriormente editar notas musicales en forma de datos MIDI. Estos datos provienen del banco de sonidos que contiene el teclado y se transmiten al ordenador por medio de un cable específico para este protocolo. Uno de los avances más significativos del MIDI reside en que a la vez que transmite el dato que determina el sonido concreto que el intérprete pulsa en el teclado, también transmite todos los datos que determinan sus características como la intensidad de la pulsación, la acentuación individual de cada una de las notas y el fraseo con el que están interpretadas. Esto es algo que enriquece de un modo importante la interpretación musical, máxime cuando el sonido seleccionado en el dispositivo tiene una naturaleza muy distinta a la propia del teclado, como por ejemplo un sonido de flauta o de guitarra. Cabe señalar que actualmente estos aparatos incluyen toda una serie de dispositivos que sirven para controlar todas las características naturales propias de los instrumentos con los que se interpreta. Si por ejemplo seleccionamos una flauta podemos llegar a controlar el vibrato que produciría el intérprete al tocar una nota y hacerla vibrar mediante el diafragma.

Estos teclados tienen además una característica denominada «capacidad multitímbrica» y que vuelve a aportar un gran número de posibilidades a la creación e interpretación musical. Un teclado multitímbrico tiene la capacidad de producir varios sonidos de distintos timbres de manera simultánea. Es importante no confundir la polifonía que un teclado es capaz de generar con esta última característica que acabamos de explicar. Recordemos que un teclado polifónico era aquel que producía dos o más sonidos simultáneamente, pero esos sonidos poseían el mismo timbre, es decir, seleccionando un sonido de piano en un teclado con una polifonía de 32 notas, podremos pulsar treinta y dos teclas simultáneamente. Cuando nos referimos a un teclado multitímbrico, hablamos de uno que es capaz de generar dos o más sonidos iguales o distintos, con independencia de la polifonía que éste sea capaz de generar.

El hecho de que un teclado sea multitímbrico hace que dicho teclado pueda ofrecernos todos los instrumentos de una pequeña orquesta o de una banda de jazz, blues y, en definitiva, cualquier formación musical. Algunos de estos teclados tienen incorporado un pequeño grabador llamado «secuenciador» que actúa de idéntica manera al ordenador personal del sistema anteriormente explicado. En este pequeño secuenciador podemos ir grabando de manera individual los distintos sonidos que posee el teclado. Así cada instrumento queda grabado en una pista de manera individual, casi exactamente igual que lo hacemos en un estudio de grabación profesional.

Podemos enumerar ventajas y posibilidades que nos brindan los teclados digitales, pero como es evidente no es el objeto de esta obra. Su desarrollo está todavía en constante evolución y día tras día podemos contar con toda una serie instrumentos de este tipo que vienen a mejorar la calidad con la que reproducen los sonidos que «imitan». Actualmente no se concibe el medio musical sin la existencia de los teclados digitales y todos los dispositivos similares que rodean a éstos. Incluso los mejores y más grandes compositores e intérpretes dedicados al mundo de la música clásica, cuentan con este tipo de dispositivos musicales basados en la tecnología digital. Sus características sonoras, su manejabilidad y el gran número de posibilidades que aportan, los hacen imprescindibles, bien como herramienta fundamental, bien como complemento, para la práctica totalidad de los profesionales del mundo de la música actual.

Para concluir este viaje desde los primeros instrumentos antecesores del piano hasta los últimos instrumentos de teclado que se conocen, debemos detenernos en un último instrumento surgido gracias a la aparición de los teclados digitales. Este instrumento es el piano digital, que desde el año 1980 ha protagonizado un desarrollo y una expansión que lo han convertido en un serio competidor para los pianos acústicos convencionales.

Retrocedamos en el tiempo y situémonos en el año 1980, en el que surgen los primeros teclados digitales que incorporan sonidos reales que consiguen imitar con bastante fidelidad los sonidos propios de otros instrumentos. Aunque a principios del siglo XX ya se habían llevado a cabo intentos fallidos de amplificar pianos de cola con «pastillas fonocaptoras» que conseguía «electrificar» el piano acústico, no es hasta este momento cuando comienzan a aparecer teclados que contienen en su banco de sonidos, algunos sonidos de piano de una calidad y similitud con el sonido original de piano acústico, más que aceptable para aquel momento. Este hecho ya constituye en sí una importante ventaja para la casi totalidad de los pianistas, que viven con impotencia el hecho de tener que transportar un pesado piano acústico a todas sus actuaciones y en el peor de los casos rechazar trabajos por no poder llevar a cabo este pesado cometido. El problema del gran volumen que ocupaba un piano acústico así como lo delicado de su mantenimiento y cuidado, sumado a cuestiones tales como la complejidad de su amplificación, lo hacían prácticamente imposible de ubicar en un escenario modesto.

Por ello, a partir de este momento el uso del teclado se generaliza y el sonido de piano vuelve a ocupar un papel importante en la mayoría de escenarios de todo el mundo. Pero tengamos en cuenta que el intérprete de piano es exigente en cuanto a la calidad del instrumento y las posibilidades del mismo no conformándose con un simple teclado y un sonido relativamente similar al del piano acústico. Así, de la mano de la factoría japonesa de «Yamaha» se comienza a intentar adaptar un teclado de piano de cola, a un sistema de generación digital de sonido idéntico al de los primeros sintetizadores digitales aparecidos en 1980. Los primeros modelos de este tipo de piano se parecen más a un piano eléctrico que a un piano digital de los que actualmente se comercializan. Estos instrumentos se basan en un teclado de piano contrapesado que al igual que en el piano acústico, golpean un dispositivo que en este caso en vez de ser una cuerda es una pieza metálica que capta y transforma ese golpe en una señal sonora. De este modo se resolvía el problema de la portabilidad y la amplificación ya que estaban dotados de una salida de audio mediante la cual se conectaban a un sistema de sonido, por el que se amplificaba su señal.

Estos modelos gozaron de un enorme éxito comercial a lo largo de los años 80, llegando incluso a existir una gran competencia entre fabricantes por conseguir mejorar su diseño y características técnicas. Aún así no eran instrumentos que lograsen imitar las dos condiciones fundamentales de un piano acústico: pulsación y sonido. Por ello, los fabricantes siguen investigando y desarrollando nuevos productos que logren mejorar estos dos inconvenientes. Rápidamente y gracias a la aparición de los teclados digitales, se comienza a desarrollar un módulo de sonido que genera timbres de piano a partir de muestras reales de piano acústico. Esta técnica se denomina «sampling» y se basa en grabar y posteriormente procesar digitalmente varias notas de piano tomadas de un piano acústico, para posteriormente almacenarlas en la memoria digital que incluye dicho módulo de sonido. De este modo podemos disponer de este sonido de piano que es una copia prácticamente idéntica al original. Este hecho constituye uno de los más importantes avances técnicos en la industria de los instrumentos musicales ya que no sólo se aplicará al piano sino que se hará en todos los instrumentos restantes, creando así complejos módulos de sonido capaces de incluir en su interior verdaderas orquestas. Esto nos puede dar una idea de la independencia que en los últimos tiempos ha adquirido el compositor e instrumentista actual, ya que el poder disponer de una paleta tan grande de sonidos sumado a la calidad de los mismos, es algo que sin duda favorece y facilita la labor musical. El piano que resulta de este desarrollo es denominado ya como «piano digital» debido precisamente al tipo de dispositivo que genera su sonido.

Paralelamente al desarrollo y mejora de la calidad del sonido de los pianos digitales, hay una gran preocupación por conseguir imitar de una manera fiel el mecanismo y respuesta de un piano acústico.

Por ese motivo los dos fabricantes nipones «Yamaha» y «Kawai» comienzan a introducir en sus pianos digitales una serie de teclados muy similares a los del piano de cola, con sus mismas características técnicas, incluyendo teclas de madera contrapesadas y hasta martillos reales idénticos a los de un piano de cola. De este modo, al pulsar una tecla, el martillo correspondiente a dicha tecla golpea un dispositivo que capta el golpe con todos los componentes que acompañan a la acción de la tecla, es decir intensidad, volumen, ataque, acentuación, fraseo, etc.

Actualmente la calidad de este tipo de pianos es tal que se hacen imprescindibles para cualquier profesional de la música, sobre todo teniendo en cuenta los últimos avances conseguidos que dotan a este tipo de instrumentos de una verosimilitud con los pianos acústicos que en ocasiones los pueden llegar incluso a sustituir.

Esto último no es difícil ya que las ventajas de estos instrumentos con respecto de los pianos acústicos son ilimitadas. Las dos ventajas fundamentales se basan en su menor tamaño y su menor precio. Además se le añaden cuestiones tales como la posibilidad de poder tocar a un volumen bajo e incluso conectar unos cascos, algo que sin duda es muy útil teniendo en cuenta los trastornos que puede ocasionar el volumen sonoro de un piano acústico en entornos como el familiar o el vecindario. Por supuesto, estos pianos digitales tienen una implementación MIDI total, que añaden multitud de posibilidades a la labor de interpretación y de estudio, convirtiéndolo en una opción muy a tener en cuenta a la hora de elegir entre piano acústico o piano digital.

El instrumento

DESCRIPCIÓN FÍSICA DEL PIANO

Como hemos dicho, el piano actual comparte en esencia al mismo fundamento técnico del piano original. A continuación pasaremos a ver el funcionamiento básico del mecanismo del piano desde la pulsación de la tecla hasta el fin de la vibración de la cuerda.

En primer lugar partimos de la situación de reposo de la tecla, en la que el mecanismo queda de la siguiente manera:

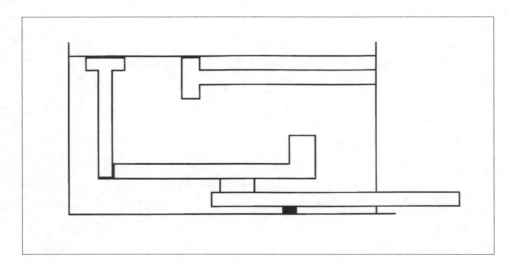

Como podemos observar en el esquema, la cuerda está dispuesta en la parte superior del mecanismo y en contacto directo con ella se encuentra por debajo el apagador. Esto se produce gracias a que la tecla se encuentra en reposo, y por ello el martillo se encuentra sin tocar la cuerda, pero sí preparado y ubicado a una distancia lo suficientemente pequeña para actuar inmediatamente en el momento de pulsar la tecla.

El segundo paso comienza en el instante en que se pulsa la tecla. De este modo al accionar ésta, el apagador se separa de la cuerda dejándola libre y dispuesta para ser golpeada. Inmediatamente el martillo se desplaza hacia arriba golpeando dicha cuerda y produciendo de ese modo la vibración de la misma que se transforma en sonido.

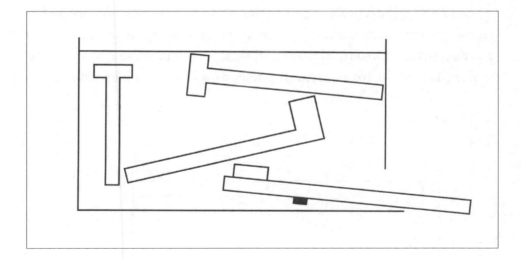

En la siguiente fase la tecla aún permanece pulsada por lo que la cuerda sigue vibrando y por lo tanto generando sonido. Simultáneamente el martillo vuelve a su posición de reposo preparado para volver a percutir la cuerda si fuera necesario.

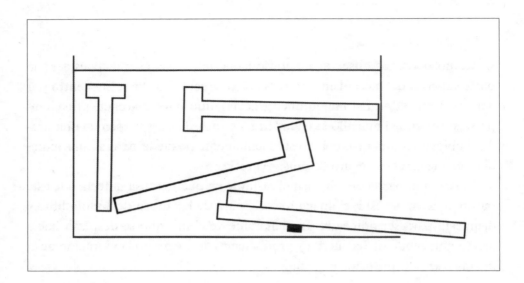

La última fase del proceso es la vuelta de la tecla a su posición original de reposo, lo que produce que el apagador vuelva a entrar en contacto con la cuerda restringiendo de ese modo su vibración. De este modo el sonido se extingue y la tecla vuelve a quedar dispuesta para una nueva pulsación.

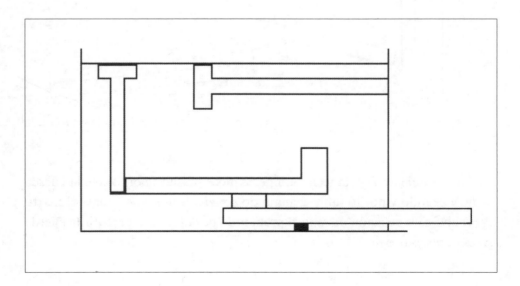

En estas cuatro fases hemos podido observar el funcionamiento de la mecánica del piano de cola. El esquema del piano de cola actual está basado en una mecánica prácticamente idéntica a la del piano de Cristofori. Aun así y con el paso del tiempo, han ido surgiendo multitud de mejoras en lo que se refiere al tipo de materiales utilizados en su construcción, algo que ha perfeccionado de manera espectacular la calidad de las maquinarias, haciendo que éstas se conviertan en auténticos prodigios de precisión.

El conjunto de la maquinaria que hemos descrito anteriormente, se encuentra ubicado en el interior de la CAJA DEL PIANO. La forma del contorno de dicha caja es una forma muy peculiar difícilmente de describir ya que no encuentra muchas similitudes con prácticamente ningún objeto de la vida cotidiana. No obstante podemos decir que en la parte del teclado, la caja tiene una forma rectangular que se va transformando de manera curva hacia atrás de la misma adoptando una forma de cola, de ahí su nombre. El tipo de madera utilizado para la construcción de la caja así como su proceso de fabricación es fundamental, ya que dicha construcción se realiza encolando varias láminas de madera de álamo o abeto que adoptan de manera progresiva la curvatura de la cola del piano. Estas maderas son de una gran calidad y su secado es un proceso totalmente artesanal que lleva en muchos casos un número importante de años. Del mismo modo, este proceso resulta vital para la durabilidad del instrumento, ya que de lo contrario esta madera, debido al paso de los años y a las condiciones ambientales, puede reaccionar de manera negativa. Pensemos que la madera es un material muy sensible a agentes ambientales como el calor, el frió, la humedad, etc. Por ello podemos observar cómo en algunos pianos de mala calidad sus maderas se han agrietado o despegado por efecto del paso del tiempo y, por consiguiente, la mala calidad de las mismas. Hay otro aspecto de suma importancia que es el acabado de la caja, ya que un piano no sólo debe tener un aspecto estéticamente atractivo sino que además debe tener un aspecto duradero. Si la vida útil de un piano es a veces más larga que la del propietario, podremos entender que la calidad del aspecto externo debe ser tan cuidada como la calidad de su interior. A pesar de ello podemos afirmar que un piano tiene dos vidas, una la «musical» y otra la exterior. La primera toca su fin cuando el piano deja de producir un sonido de calidad y su maquinaria ha perdido la precisión requerida. La segunda es larga y de hecho podemos ver multitud de pianos muy antiguos en museos y exposiciones de todo el mundo. Los materiales utilizados cada vez cumplen con mayor rigor el requisito de resistir los cambios de temperatura y humedad así como los arañazos y roces fortuitos. Actualmente, los constructores utilizan una avanzada tecnología para desarrollar lacas y barnices que cumplan, principalmente, los requisitos de la estética y de la durabilidad.

Existen varios tipos de caja en función del tamaño de las mismas desde el tamaño denominado como «colín», que obviamente es el más pequeño, hasta el piano «gran cola», que es al piano más grande que podemos encontrar. Más adelante entraremos a ver estos aspectos con mayor detenimiento y detalle.

Otra de las partes que conforman el piano es la TABLA ARMÓNICA, sin duda fundamental para que se propague el sonido. Esta pieza está fabricada en madera y es el corazón del piano ya que la calidad de ésta se encuentra directamente relacionada con la calidad del sonido que el piano va a ser capaz de emitir. La tabla armónica se construye a partir de maderas de altísima calidad y su secreto consiste en el secado lento de las mismas. Estas maderas son seleccionadas de entre una gran cantidad de troncos, eligiendo las piezas de mayor calidad. Posteriormente se almacenan durante años para conseguir así un lento secado, que posteriormente se finaliza en hornos especialmente diseñados para este cometido y controlados por un complejo programa informático. La madera que ha sido correctamente tratada es mucho más duradera y capaz de transmitir el sonido de una manera excelente, dotando a todo el conjunto de una mejor resonancia. Esta tabla se ubica en el interior de la caja y en posición horizontal en el fondo de la citada caja. Su forma es plana por una de sus caras, de ahí su nombre, pero en la otra de estas caras y por el centro suele tener una ligera curvatura llamada «corona», quedando de este modo curvada por la zona central y por el contrario de forma plana en todo su perímetro. La misión de esta corona consiste en presionar de manera segura los puentes contra las cuerdas y asegurar de este modo la correcta transmisión de la vibración de dichas cuerdas.

Para entender la función de esta tabla debemos conocer cómo se comportan las cuerdas en relación a ésta. El sonido del piano se genera por la vibración de dichas cuerdas, que a su vez se ha producido por la acción de los martillos que golpean a éstas. Sin embargo, el volumen sonoro de esta vibración es insuficiente para ser escuchado con calidad. Por ello se necesita un medio físico que propague el sonido y lo amplifique, sin perder además las características básicas de la vibración sonora. De esta manera, la tabla armónica es como ya hemos dicho anteriormente, una pieza fundamental del piano, ya que de ella va a depender el volumen, la calidad y las características técnicas de su sonido. El tamaño y grosor de esta tabla depende del tipo y tamaño del piano al que pertenezca, aunque el hecho de que una tabla sea grande no quiere decir que la resonancia que sea capaz de transmitir sea mayor. El tamaño y grosor óptimo de ésta viene determinado en relación al equilibrio técnico de todos los elementos que conforman el instrumento.

Sobre la tabla armónica se sitúa otra de las piezas fundamentales del piano: el clavijero. El CLAVIJERO es el encargado de sujetar las clavijas metálicas en las que se enhebran las cuerdas para tensarlas posteriormente hasta conseguir su correcta afinación. El clavijero suele estar construido a base de láminas de madera dura y densa (arce o haya) unidas entre sí por un tipo de pegamento especial que garantiza su estabilidad. Los principales puntos a tener en cuenta a la hora de diseñar un clavijero, son garantizar que éste sea imperturbable a lo largo del tiempo y que posea una precisión absoluta de afinación, ya que como hemos dicho, en él van insertadas las clavijas que han de girar para lograr afinar las cuerdas. Estas clavijas deben estar sujetas al clavijero de una manera absolutamente equilibrada para que no giren libremente, variando involuntariamente así la afinación y a la vez poder girar lo suficiente para que el técnico afinador pueda realizar su labor. En definitiva, la fortaleza del clavijero y lo bien que estén colocadas las clavijas en dicho clavijero, son factores fundamentales para que el piano tenga una absoluta estabilidad en su afinación.

Otro de los componentes del piano es el ARMAZÓN, que hace de bastidor para colocar el cordaje y normalmente nos referimos a él como «el marco».

Tal vez sea una de las piezas en las que más se ha investigado y avanzado en su desarrollo. Para entender su función debemos saber que el cordaje de un piano de cola soporta una tensión de unas 20 toneladas. Por ello es fácil imaginar la alta resistencia que debe tener el marco del piano para soportar de manera segura dicha tensión. Los primeros pianos fabricados a mediados del siglo XVIII incorporaban marcos fabricados en madera, pero lógicamente su resistencia no era la necesaria y con el paso del tiempo cedían a causa de la tensión tan elevada a la que estaban expuestos. Posteriormente se comenzó a utilizar el metal y más concretamente el hierro fundido, pero esta opción no llegó a consolidarse como una solución definitiva ya que el proceso tenía un elevado coste y surgían inconvenientes como el elevado peso de los instrumentos resultantes. Por ello y a partir de comienzos del siglo XX, se empieza a investigar en una forma de conseguir marcos más resistentes basados en el uso de madera y metal en las proporciones correctas. Actualmente la mayoría de los pianos de cola que se fabrican utilizan un sistema de marco de acero con una serie de barras de madera llamadas «barrajes», que en conjunto consiguen una resistencia óptima y duradera. Como ya hemos señalado, sobre el marco queda dispuesto el CORDAJE del piano. Las cuerdas que lo forman son de dos tipos: entorchadas para el registro grave, y cuerdas simples para el registro medio–agudo. Las cuerdas entorchadas consisten en una cuerda de acero envuelta a su vez con otra cuerda de cobre, consiguiendo de este modo una vibración lenta y equilibrada. En el caso de las cuerdas que ocupan el registro medio–agudo, se trata de cuerdas simples para las que se utiliza el acero en distintas aleaciones como material de fabricación asegurando de este modo un brillo y afinación inmejorables. Como señalamos con anterioridad, la elevada tensión que deben soportar las cuerdas del piano se establece como una condición indispensable que éstas deben de cumplir, por ello podemos imaginar la calidad de las mismas para lograr cumplir este requisito sin que se deterioren.

Por último, tenemos todo el sistema de elementos mecánicos que conforman lo que se conoce como la MAQUINARIA del piano. Este sistema comprende las teclas, los martillos con sus correspondientes macillos y toda una serie de piezas menores que conforman un complicado sistema que como vimos con anterioridad es el encargado de convertir la pulsación de una tecla en su sonido correspondiente. Podemos por tanto considerar el mecanismo como una extensión de los dedos del pianista, ya que éste constituye el vehículo principal que el intérprete utiliza para expresarse. Por ello es importante que este mecanismo tenga la mayor precisión posible para ofrecer al pianista la mejor pulsación, respuesta, sensibilidad y, en definitiva, toda una serie de valores que enriquecen la interpretación musical. Es cierto que el sonido se produce gracias a la vibración de las cuerdas y se propaga por medio de la tabla armónica, pero debemos tener en cuenta que cuando la pulsación de un determinado piano no es adecuada y agradable para el músico que los está tocando, el resultado puede llegar a ser negativo.

Las partes más significativas del mecanismo del piano son: la tecla y el macillo que golpea la cuerda. Esto no quiere decir que el resto de componentes carezcan de importancia en el proceso mecánico del piano, al contrario, el funcionamiento incorrecto de cualquiera de las partes de este mecanismo dará como resultado un pobre funcionamiento del conjunto del instrumento.

Las teclas están construidas a partir de bloques rectangulares de madera, secados de forma natural durante largos periodos de tiempo en lugares especialmente diseñados para este cometido. Este hecho se traduce en piezas de madera que perfectamente cortadas poseen una inmejorable duración y óptima resistencia a los cambios ambientales y al paso del tiempo. Los bloques de madera que conforman estas teclas se utilizan sin ningún tipo de tratamiento de barnices o lacas, es decir al natural. Por ello la calidad de las mismas es fundamental para no llevarse sorpresas y sufrir funcionamientos incorrectos a causa de agentes externos como la excesiva humedad o sequedad del ambiente en el que se encuentre situado el piano. Cada tecla está cubierta de una lámina de resina de plástico en el caso de las teclas blancas y de un compuesto de madera especial para este cometido, en el caso de las teclas negras. El siguiente paso que sigue a la pulsación de la tecla, es el movimiento de palanca que realiza el martillo perteneciente a dicha tecla. Este elemento es al igual que en otros casos, un elemento fundamental que determinará la calidad del sonido producido. Este debe mantener su elasticidad y su integridad sin deformarse lo más mínimo después de soportar miles y miles de impactos. A la vez el tamaño, la forma y el peso de dicho elemento van a determinar las características del sonido que se va a producir cuando este golpee la cuerda. El martillo está construido en madera y recubierto de fieltro por la parte exterior que golpea la cuerda. Un piano tiene el mismo número de martillos que de teclas, es decir, 88 en total. Pero el tamaño de éstos no es igual en todo el teclado, ya que varía en función de la altura tonal de la cuerda que golpea. Es decir las cuerdas graves son golpeadas por martillos de mayor tamaño, disminuyendo este último a medida que nos desplazamos a cuerdas más agudas. Como acabamos de señalar, estas piezas están recubiertas de fieltro por la parte que golpea la cuerda. La labor de recubrir el martillo de fieltro y hacerlo de manera uniforme, es el secreto de conseguir un buen martillo que produzca un sonido óptimo. El fieltro debe quedar dispuesto en el martillo con el mismo grado de elasticidad en toda su superficie, para que así, el sonido, sea uniforme.

Actualmente se utilizan fieltros de una calidad inmejorable, ya que debemos tener en cuenta que el impacto con la cuerda se produce precisamente a través de este material.

A este mecanismo está asociado otro elemento indispensable que es el PEDAL. Los pianos de cola actuales están provistos de tres de estos pedales y cada uno de ellos tiene su función. En el caso de los pianos verticales se da el mismo número de pedales pero su uso y el efecto que producen, es distinto del de los pianos de cola. Estos pedales tienen forma de palanca y están construidos en una aleación de metal. Debemos tener en cuenta que es un elemento que no interviene directamente en la producción del sonido, por lo que no afecta a la calidad del mismo. El aspecto más importante de un pedal de piano, se basa en que el grado de dureza de éste sea el adecuado y aporte unas garantías correctas de durabilidad.

El pedal situado a la derecha del conjunto, es el pedal de «sostenido» o de «resonancia», y su cometido es liberar la totalidad de los apagadores, para que de este modo, las cuerdas puedan vibrar libremente. El efecto que se consigue es el de un sonido sostenido, es decir, un sonido que se mantiene debido a que la vibración de las cuerdas queda mantenida hasta su natural extinción. Cuando el pedal se suelta y vuelve a su estado de reposo habitual, los apagadores vuelven a ocupar su posición original y la vibración es interrumpida, lo que se traduce en el fin del sonido emitido.

El pedal situado a la izquierda del conjunto, se denomina pedal «celeste» y su función se basa en desplazar de manera lateral hacia la derecha la maquinaria del piano. De este modo, el martillo de la tecla pulsada golpea solamente una o dos del total de cuerdas que componen una nota, consiguiendo así una aparente disminución o atenuación del sonido. Pero en realidad, con esta acción lo que se consigue es ordenar de mayor a menor la aparición de los armónicos de la nota percutida, a la vez que se amplifica la resonancia de la fundamental de dicha nota.

El pedal que ocupa el lugar central en el conjunto de pedales varía si se trata de un piano de cola o un piano vertical. En el caso del piano vertical, este pedal se denomina pedal de «sordina» y, como su propio nombre indica, es el encargado de accionar un sencillo mecanismo que atenúa considerablemente el sonido global del piano. Este mecanismo consiste en una banda de fieltro que se interpone de manera transversal entre el cordaje y los martillos, atenuando de este modo el golpe transmitido al pulsar cualquier tecla. Este dispositivo está diseñado para una labor aplicable únicamente al estudio técnico del instrumento, y su fin principal es conseguir tocar el piano sin molestar al entorno en el que nos encontremos. Su uso prolongado no es muy recomendable ya que el sonido que se produce no es un sonido de calidad, lo que redunda en contra de el correcto proceso de aprendizaje.

En el caso de los pianos de cola, este pedal se denomina pedal «central» o pedal «tonal». Su cometido es similar al del pedal de resonancia, pero sin embargo, en este caso el pedal tonal opera solamente en las cuerdas de las notas que han sido pulsadas cuando el pedal se encontraba activado. El uso de este pedal es muy adecuado para desarrollar técnicas de expresión muy sofisticadas.

Un aspecto muy a tener en cuenta es el mantenimiento del piano, ya que el cuidado es fundamental para que el instrumento tenga una vida útil lo más prolongada en el tiempo posible.

Actualmente el piano es uno de los instrumentos más complejos de construir, algo que lo convierte en un elemento con un grado elevadísimo de precisión. Para que la maquinaria de un piano funcione correctamente se hace necesaria una serie de cuidados y atenciones que no debemos pasar por alto. Algunos de estos cuidados podemos llevarlos a cabo nosotros mismos, pero en cambio otros más precisos deben ser realizados por un técnico especializado.

Hay que tener muy en cuenta la ubicación que se la va a dar al piano en el espacio que hayamos elegido para colocarlo. En el caso de los pianos de cola la mejor ubicación es en el centro de la habitación o espacio elegido. Si se trata de un piano vertical, lógicamente aprovecharemos una de las paredes para ubicarlo. Por regla general, intentaremos evitar las paredes exteriores así como las que aun siendo interiores tengan fuentes de calor, frío o humedad. Debemos además evitar colocar el piano cerca de las ventanas, ya que la luz solar proyectada directamente sobre el instrumento puede dañar tanto su caja como su maquinaria.

La temperatura ambiental es un condicionante que afecta de manera determinante a la conservación del piano. Trataremos de evitar que el piano se sitúe cerca de fuentes directas de calor como radiadores de calefacción o ventiladores de aire caliente. De igual manera, es importante controlar los cambios bruscos de temperatura que se produzcan en la habitación en la que se ubique el piano. Cuando un espacio frío se calienta de manera repentina, la humedad que había en dicho espacio produce una condensación de dicha humedad, que se condensa en las partes metálicas del instrumento, algo que provoca la oxidación de estas partes. En el caso de las partes y componentes no metálicos como las piezas de madera y los fieltros, el resultado se traducirá en una merma considerable de la calidad del sonido. Cuando el piano se encuentra ubicado en un espacio demasiado frío, una buena solución es cubrirlo con una funda específica para solventar este problema o simplemente cualquier manta o lona que no contenga en su composición fibras sintéticas.

El grado de humedad en el ambiente es otro de los agentes que afectan al piano. Debemos recordar que el piano contiene un gran número de piezas construidas en madera y que estas piezas en su mayoría forman parte de un conjunto mecánico montado a base de ejes y contrapesos. El exceso de humedad provoca en este tipo de piezas una alteración, que se sale de los límites de tolerancia tenidos en cuenta a la hora de la fabricación del instrumento. De este modo, este exceso de humedad provocará que la madera se dilate y el sistema de ejes pierda precisión y capacidad de respuesta. Por el contrario, la sequedad excesiva puede llegar a ser igual o aun más perjudicial para la conservación del instrumento. El efecto que esta sequedad produce en la madera es devastador ya que elementos como los martillos y la tabla armónica tienden a agrietarse de manera irreversible. El grado óptimo de humedad relativa para la conservación de un piano se sitúa en torno al 50%. Para corregir el exceso o defecto de humedad en el ambiente, podemos utilizar un recipiente especial con una sustancia absorbe humedad. Estos productos los podemos encontrar en cualquier establecimiento especializado de limpieza y son realmente efectivos para evitar que el exceso de humedad haga mella en el piano.

Si por el contrario queremos contrarrestar la sequedad del instrumento, bastará con colocar un pequeño recipiente con agua en el interior del piano.

Un agente que puede llegar a ser muy perjudicial para el piano es el aire acondicionado. Es importante tener mucho cuidado para no exponer permanentemente el piano a un ambiente totalmente climatizado. Los equipos de aire tanto caliente como frío tienden a secar el ambiente, por lo que las recomendaciones anteriores deben ser tenidas muy en cuenta cuando se de este caso concreto.

La limpieza es otro de los aspectos importantes para la correcta conservación del instrumento, por lo que debemos intentar que no se acumule ningún tipo de partículas de polvo, sobre ninguna de sus superficies. No obstante, para la limpieza de estas superficies no utilizaremos nunca productos de limpieza, limitándonos a limpiar dichas superficies con un paño húmedo o bien añadiendo un poco de agua con jabón neutro.

El teclado debe mantenerse limpio de polvo ya que normalmente está acabado con una superficie especial para el contacto con los dedos y por tanto la suciedad hace que esta característica específica se pierda. Normalmente y después de haber finalizado nuestra sesión de estudio, el teclado habrá acumulado en su superficie una leve capa de grasa producida por el sudor y las sustancias que segregan las manos. Por ello nos ayudaremos de una gamuza previamente humedecida con agua para eliminar esta capa de suciedad. Es conveniente colocar siempre después de tocar el paño protector incluido en el piano. De esta manera, el teclado quedará protegido hasta la próxima vez que vayamos a tocar en él. Posteriormente, cerraremos la tapa para reservar el teclado de la humedad o el exceso de temperatura.

Un aspecto fundamental para prolongar la vida útil de nuestro piano es la afinación. El piano debe ser afinado por un técnico experto en la materia (afinador), ya que esta labor requiere un grado altísimo de especialización, debido en gran medida a lo complejo de su proceso. El piano debe afinarse, en condiciones normales de uso, dos veces al año en intervalos de seis meses, dependiendo de la ubicación geográfica y la tarea para la que esté asignado dicho instrumento. El cordaje del piano soporta como ya señalamos anteriormente, una tensión de unas veinte toneladas, lo que hace que cada cuerda soporte a nivel individual una cierta tensión que debe ser mantenida en su grado adecuado de manera permanente. Cuando una o varias cuerdas pierden esa tensión, es decir, se desafinan, el efecto que se produce es el de arrastre, o sea, el resto de cuerdas tienden a igualar esa pérdida de tensión. Por todo ello se hace imprescindible un seguimiento de la afinación, para que la tensión del cordaje sea la adecuada de manera permanente. Si no tomamos esta medida, el resultado producido redunda en una considerable pérdida de la calidad del sonido, con todo lo que acompaña a éste, incluso en algunos casos se puede dar la rotura de cuerdas y componentes de la maquinaria.

Por otro lado, la maquinaria del piano requiere una serie de atenciones a modo de mantenimiento que de no producirse, también puede llegar a provocar daños importantes en el funcionamiento de la misma, y en definitiva, acortar la vida de nuestro piano. Tengamos en cuenta que como ya hemos visto, la maquinaria del piano funciona a base de un complejo sistema de ejes, contrapesos y palancas, lo que implica un nivel elevado de precisión. Con el paso del tiempo esta maquinaria se desajusta y requiere la calibración de todos sus elementos, para no perder así su precisión. Todos estos ajustes tanto técnicos como de afinación, deben ser llevados a acabo por un técnico afinador y nunca debemos ser nosotros mismos los que manipulemos el interior del instrumento. Como ya hemos dicho, esto tendría unas consecuencias irreversibles y de un elevado coste a la hora de subsanar los daños.

Hasta aquí hemos podido conocer como es y como funciona el piano acústico, más concretamente el piano de cola. Es de suma importancia que hayamos comprendido su funcionamiento, ya que este hecho contribuirá de forma decisiva a poder sacar de él el máximo rendimiento posible.

Preparados para tocar

DESCRIPCIÓN FÍSICA DEL TECLADO

Un elemento fundamental para el instrumentista es poder tener un conocimiento exhaustivo del teclado del piano. Es importante conocer no sólo su funcionamiento interno sino también su morfología. Es necesario conocer y aprender a identificar los sonidos que producen cada una de sus teclas. Cada tecla produce una nota que está vinculada con la vibración obtenida en una determinada frecuencia. El intérprete tendrá que conocer las diferentes ubicaciones que poseen cada una de las notas sobre las 88 teclas blancas y negras que componen el teclado de un piano.

Los instrumentos musicales producen siete notas fundamentales (do, re, mi, fa, sol,la y si), las cuales se encuentran dispuestas conformando una escala que va desde la nota más grave (do) hasta la más aguda (si). A esta escala con la primera nota duplicada en la parte superior se le llama octava. ¿Por qué se llama octava cuando son siete notas? Pues porque tradicionalmente se nombra también la siguiente nota que sería la misma que la primera pero con otra frecuencia, de forma que para nombrar correctamente una octava tendríamos que hacerlo de la siguiente manera:

DO – RE – MI – FA – SOL – LA – SI – DO

Pero nuestro oído es capaz de percibir más de siete sonidos. En realidad, es capaz de identificar hasta nueve octavas, cada una de éstas compuestas por las mismas siete notas pero con diferentes frecuencias, de forma que, por ejemplo, la nota Do de la primera octava es la misma nota que la de la segunda pero con la mitad de vibraciones por segundo, lo que hace que sea menos aguda. Esto ocurre con todas las notas y en las diferentes octavas, cuanto más alta es la octava, más aguda sonará la nota.

A continuación vamos a aprender a identificar la situación de cada nota en las teclas del piano. Lo primero es situarnos frente a él, con la espalda recta y las manos y brazos relajados. Nuestro punto de referencia va a ser el do central, que es la tecla equidistante entre todo el registro musical, del más grave al más agudo. Su situación va a depender de la cantidad de octavas que tenga el teclado que estemos utilizando, que suele variar entre cuatro si es un teclado de tipo digital y ocho si se trata de un piano acústico. Nuestras manos se van a colocar ante al piano en función del Do central, la mano derecha se situará a la derecha de éste y la otra mano a la izquierda del mismo.

Para identificar la nota Do, tendremos que observar el teclado y ver que es la tecla blanca que antecede a cada grupo de dos teclas negras. El resto de las notas le seguirán en orden formando gradualmente el resto de la escala:

DO − RE − MI − FA − SOL − LA − SI −DO

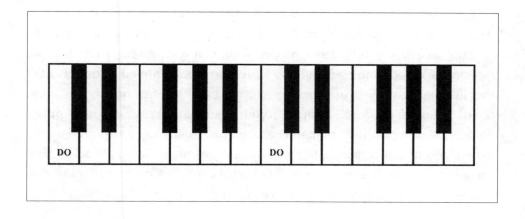

Ya hemos visto cómo se disponen las notas naturales sobre las teclas blancas que forman el teclado, pero ahora debemos conocer y comprender cómo se distribuyen las notas alteradas en las teclas negras de dicho teclado.

Cuando hablamos de notas alteradas, nos referimos a una nota natural de la escala que ha sido modificada mediante un signo de alteración. En el lenguaje musical contamos con tres de estos signos para alterar una nota natural. Estos signos son el sostenido, el bemol y el becuadro. Posteriormente conoceremos cómo se representan gráficamente pero por el momento podemos avanzar cual es el cometido de cada uno. El sostenido aumenta medio tono ascendentemente a la nota que acompaña, de manera que cuando nos encontremos con una nota natural con un signo de sostenido, estaremos obligados a tocar la tecla negra inmediatamente posterior (a la derecha) de la tecla blanca donde se ubique la nota natural original. Si tomamos como ejemplo la nota do, al encontrar dicha nota alterada con un sostenido, tocaremos la tecla negra inmediatamente siguiente a la tecla blanca donde se ubica la nota do natural.

En el caso de los bemoles el efecto es el inverso, es decir, el bemol disminuye medio tono a la nota natural a la que acompaña. De este modo, cuando nos encontramos con una nota alterada con bemol, debemos pulsar la tecla negra inmediatamente anterior a la nota natural alterada.

El tercer signo de alteración es el becuadro, del que sólo diremos por ahora que anula el efecto del sostenido y el bemol. Más adelante profundizaremos en su uso así como en el de los otros dos signos de alteración.

Con el uso de las alteraciones, queda explicado el significado de las teclas negras en el contexto físico del teclado. Aun así, debemos señalar un hecho paradójico que se produce a causa del efecto contrario de estos signos de alteración. Como hemos señalado, el sostenido aumenta medio tono y el bemol lo disminuye. Pero, ¿qué ocurre entonces cuando tenemos la nota do sostenido y la nota re bemol? Tanto el sonido como la tecla que debemos pulsar coinciden. Este resultado se llama «enarmonía» o «notas enarmónicas». Podemos definir dos notas enarmónicas como dos notas de igual sonido pero diferente nombre. Posteriormente, podremos conocer y comprender tanto su utilización como la función que representan en el ámbito de la tonalidad.

POSICIÓN DEL CUERPO Y LAS MANOS SOBRE EL TECLADO

La posición corporal que debemos adoptar a la hora de enfrentarnos al estudio del piano es algo fundamental para la buena marcha de dicho proceso. Tengamos en cuenta que en el mecanismo de estudio participa activamente todo el cuerpo. Por ello, se hace imprescindible el hecho de elegir una buena banqueta que ofrezca al alumno la posibilidad de tener la altura adecuada frente al piano. Esta altura ha de posibilitar que el antebrazo esté a la misma altura que el teclado. El alumno ha de sentarse erguido, sin apoyarse en el respaldo (si lo tuviera), y a la mitad del asiento, creando con sus piernas un ángulo recto. No debemos confundir una posición erguida, con una extrema rigidez del cuerpo ya que esto constituiría un serio inconveniente por muchas razones. El cuerpo como ya hemos señalado, participa de manera activa en el proceso de aprendizaje y de estudio, ya que en cierto modo es el vehículo mediante el cual el intérprete debe expresarse. De este modo, y dependiendo de las características técnicas de la obra o ejercicio al que el alumno se tenga que enfrentar, el cuerpo deberá adaptarse de manera flexible para acometer sin problemas todas y cada una de las dificultades de la obra en cuestión. Por ello, una mala postura ante el piano así como una extrema rigidez del cuerpo, en especial del tronco y los brazos, además de impedir una correcta ejecución, puede producir molestas dolencias e incluso lesiones de cierta consideración.

Como acabamos de señalar, comenzaremos por sentarnos en la banqueta con el tronco erguido, de manera que la espalda adopte una postura recta. Por otro lado, colocaremos las piernas de forma paralela y describiendo un ángulo recto, de manera que queden en alerta para poder pisar uno de los pedales si esto fuese necesario.

Los brazos deben estar dispuestos de manera que tiendan a formar un ángulo recto, si bien cabe insistir en la importancia que tiene el hecho de que esta posición se adopte mediante una postura relajada. Las muñecas han de situarse de forma perpendicular sobre el teclado, permitiendo esta postura que el juego que realizan las manos con respecto del antebrazo, sea un movimiento de muñeca libre y de nuevo sin rigidez, pero con firmeza. Por último nos debemos centrar en la posición que adoptan los dedos sobre el teclado. En este punto debemos centrarnos con cierta prudencia, ya que son muchas las opiniones que hay al respecto de las diferentas posturas que deben adoptar los dedos con respecto al teclado del piano. En general, los dedos deben adoptar una posición perpendicular a dicho teclado, pero cuidado por que no debemos dejar que los dedos tiendan a estirarse demasiado, quedando por tanto casi paralelos al teclado.

Igual que en el caso del resto del cuerpo, en la posición de los dedos debemos tener en cuenta la premisa de no adoptar posiciones forzadas y con un alto grado de rigidez. Tal vez el único dedo de ambas manos que puede tender a una posición más paralela al teclado sea los dedos pulgar y meñique de ambas manos, que debido a su morfología deben adoptar dicha posición. Una idea aproximada de lo que podría ser una buena posición de los dedos, puede parecerse a la postura que adoptaría la mano y los dedos al tomar una pelota de tenis sin llegar a «abrazarla», simplemente sujetarla sin dejar que ésta se caiga. De este modo, los dedos quedarán ligeramente arqueados sobre el teclado y preparados para pulsar las teclas.

La distribución del peso corporal a la hora de tocar el piano es algo determinante en la calidad de la interpretación. Este reparto de pesos debe estar equilibrado en el caso de los dedos, por lo que trataremos de apoyar con igual fuerza cada uno de los dedos a utilizar, es decir, que trataremos de no apoyar con mayor o menor fuerza, unos dedos más que otros. En algunos casos haremos caso omiso a esta norma, ya que las características de articulación de determinadas obras o pasajes musicales, nos obligarán a interpretar algunas notas con mayor o menor fuerza que otras. El peso que se necesita para bajar una tecla se sitúa en torno a los 70 gramos, por tanto, no debemos limitarnos a cultivar solamente la capacidad de bajar los dedos. Cuanto más se presione la tecla, mayor será el peso límite y más se aplastará la cabeza del martillo contra la cuerda, con lo que el resultado será un sonido con demasiada dureza. Controlando el peso de cada dedo sobre cada una de las teclas, debemos sentir y anticipar la velocidad de ataque de los martillos, notando claramente como la tecla asciende. Después de haber producido un primer sonido, debemos saber cómo hacer lo propio con el sonido siguiente. Para ello debemos conocer otro concepto que se basa en levantar el dedo de la tecla que acabamos de tocar de una manera «pellizcada», haciendo de este modo que podamos controlar la forma de extinguir el primer sonido emitido. Por tanto, tenemos dos acciones dentro de la ejecución de una sola nota: el ataque y la forma de salir del mismo.

Quizá la primera dificultad que se encuentra el alumno estriba en conseguir que sus dedos sean independientes, es decir, que no sigan su tendencia natural por la propia fisiología de los músculos de la mano a actuar libremente y sin control. Llegar a conseguir que los dedos actúen con total independencia, es una tarea no exenta de cierta dificultad, pero invirtiendo un tiempo diario en realizar una serie de ejercicios que veremos posteriormente, no tardaremos demasiado en que todos y cada uno de los dedos de ambas manos, se muevan con independencia y libertad. Pensemos que en la técnica pianística, cada mano trabaja en dos claves musicales o códigos distintos, que es lo más parecido a leer en dos idiomas simultáneamente y que aunque similares, son de características semánticas y morfológicas distintas. La razón de esta doble lectura se explica porque el piano es el único instrumento que se interpreta a dos o más voces ejecutadas de manera independiente por dos manos. Algunas obras clásicas de una enorme complejidad, están compuestas de forma que las dos melodías plantean tanto su disposición melódica como su esquema rítmico de manera totalmente contraria.

Para facilitar el aprendizaje vamos a basarnos en un sistema de disposición numérica de dedos llamada digitación.

DIGITACIÓN BÁSICA

Este sistema consiste en asignar a cada dedo de cada mano un número, de forma que las partituras de los primeros niveles de aprendizaje en lugar de las notas, o en ocasiones además de ellas, señalizan el número correspondiente a cada dedo. Este sistema de digitación tiene un carácter universal, de modo que el alumno o intérprete podrá trabajar en una partitura con independencia del lugar de edición o procedencia de la misma.

De este modo la digitación queda establecida para ambas manos del siguiente modo:

– Dedo pulgar 1
– Dedo índice 2
– Dedo medio 3
– Dedo anular 4
– Dedo meñique 5

Si analizamos la distribución de los números asignados a los dedos de ambas manos, podremos comprobar que existe cierta contradicción. Cada uno de los dedos de cada mano, comparten el mismo nombre y número pero si establecemos la relación entre el orden ascendente de los números de la mano derecha y el mismo orden de la mano izquierda, comprobaremos que en el teclado se traduce en un movimiento de las manos totalmente contrario. Es decir, si la mano izquierda tocase las notas: do – re – mi – fa – sol y la mano derecha hiciese lo mismo, la digitación resultante sería la siguiente:

– Mano izquierda .... 5 – 4 – 3 – 2 – 1

– Mano derecha .... 1 – 2 – 3 – 4 – 5

Como se ve, esto daría lugar, como ya hemos señalado, a movimientos contrarios de ambas manos. Esto se traduce en una ligera dificultad a la hora de leer la digitación de cada mano, ya que al principio del aprendizaje nos dejaremos llevar por los impulso de nuestra mente de querer leer de manera paralela y no contraria.

Nociones básicas
de teoría musical

En este nuevo apartado, podremos ver una serie de nociones básicas e imprescindibles para comenzar a leer música. El lenguaje musical, antes conocido como solfeo, es un tipo de lenguaje como otro cualquiera, es decir, contiene una serie de signos y símbolos que se interpretan de una determinada manera para convertirse así en una serie de sonidos, con la altura tonal y la duración como principales cualidades.

A continuación veremos todos y cada uno de los elementos que componen este lenguaje musical y cómo podremos apreciar, son elementos de naturaleza muy variada. Trabajaremos con conceptos físicos como el sonido, la frecuencia o altura tonal, el tiempo o duración de las notas, etc. Y por otro lado podremos ver conceptos de tipo gráfico como las figuras, las claves, el pentagrama, líneas adicionales, etc.

Sonido

Para comenzar veremos la NOTACIÓN MUSICAL, que la podemos definir como el conjunto de signos que indican de manera gráfica el sonido con todos sus parámetros. El sonido se produce por la vibración de un cuerpo elástico que, a través de un medio conductor – generalmente el aire – llega a nuestro oído. Inmediatamente nuestro cerebro lo procesa y nos envía la información correspondiente para poder identificarlo correctamente.

Para que un sonido sea un sonido «determinado», es decir, que sea audible, se deben cumplir dos requisitos fundamentales: una cantidad mínima de vibraciones y un mínimo de tiempo de las mismas.

El sonido tiene cuatro cualidades fundamentales: altura, duración, intensidad y timbre.

La ALTURA es un término que nos indica si el sonido es grave o agudo, comúnmente conocido como un sonido alto o bajo.

La DURACIÓN es el tiempo que transcurre desde el ataque o inicio del sonido, hasta que ese sonido se extingue en su totalidad.

La INTENSIDAD es la mayor o menor fuerza con la que podemos emitir el sonido. Dentro de este parámetro existen como es obvio infinidad de matices, que veremos con posterioridad.

Por último, nos queda el TIMBRE. Ésta es la cualidad que nos permite distinguir dos o más sonidos de igual altura, duración e intensidad, producidos por distintos instrumentos, voces o fuentes de sonido.

Este sonido con todos estos parámetros que lo forman, se traduce en las siete notas musicales que utilizamos en el lenguaje musical:

DO – RE – MI – FA – SOL – LA – SI

PENTAGRAMA

Para ubicar los sonidos de manera gráfica, disponemos de un sistema compuesto por cinco líneas y cuatro espacios. Este sistema es el pentagrama y además de permitirnos escribir los sonidos, también sirve para ubicar la totalidad de los símbolos y signos musicales. El pentagrama consta de cinco líneas y cuatro espacios, los cuales se cuentan desde abajo hacia arriba. El nombre de las notas que situemos en el pentagrama, va a depender de la clave que utilicemos en dicho pentagrama, algo que veremos a continuación.

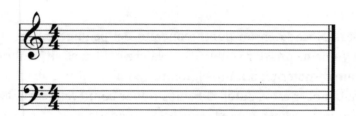

Para representar los sonidos se utilizan las notas. Éstas son signos que representan la altura de los sonidos según su colocación en el pentagrama, es decir, si son agudas o graves. La escala o serie básica de notas es la siguiente: do, re, mi, fa, sol, la, si. Esta serie de notas se puede extender por arriba o por abajo, según sea necesario expresar sonidos más agudos o más graves. La escala central es la que comprende las notas existentes entre do3 y do4.

Como ya vimos con anterioridad, los números que acompañan a las notas son los índices acústicos, que nos indican la altura tonal de las notas. El índice do3 corresponde a lo que en piano se denomina do central.

CLAVE

Una nota colocada en un punto concreto del pentagrama no adquiere un nombre y una altura por sí misma sin la clave. Ésta se sitúa al principio del pentagrama y determina tanto el nombre como la altura absoluta de las notas. Para conocer estos datos debemos tomar como referencia la nota colocada en la misma línea sobre la que está situada la clave. En el caso del piano, utilizaremos normalmente la clave de sol en segunda línea para la mano derecha y la clave de fa en cuarta línea para la mano izquierda. El uso de estas claves fija la siguiente disposición de las notas en el pentagrama:

Clave se sol en segunda línea:

– Líneas:
- 1ª línea .... mi
- 2ª línea .... sol
- 3ª línea .... si
- 4ª línea .... re
- 5ª línea .... fa

– Espacios:
- 1º espacio .... mi
- 2º espacio .... sol
- 3º espacio .... si
- 4º espacio .... re

Clave de fa en cuarta línea:

– Líneas:
- 1ª línea ....sol
- 2ª línea .... si

       – 3ª línea .... re
       – 4ª línea .... fa
       – 5ª línea .... la

– Espacios:
       – 1º espacio ....la
       – 2º espacio .... do
       – 3º espacio .... mi
       – 4º espacio .... sol

Para situar estas notas en el teclado del piano debemos recurrir de nuevo a los índices acústicos. En la clave de sol en segunda el sol de la segunda línea equivale a la nota sol3, por el contrario la nota fa de la cuarta línea en la clave de fa en cuarta, equivale a la nota fa2.

Volviendo momentáneamente al pentagrama, ya hemos observado que podemos ubicar los sonidos sobre sus cinco líneas y cuatro espacios. Pero obviamente existen muchos más sonidos, tanto graves como agudos, que no podemos situar en dicho pentagrama por evidentes problemas de espacio. Para solucionarlo podemos utilizar unas pequeñas líneas llamadas líneas adicionales. Éstas se sitúan como ya hemos dicho por encima o por debajo del pentagrama y siguen un orden lógico en la sucesión ascendente o descendente de la escala musical, creando otro pentagrama imaginario con sus correspondientes líneas y espacios.

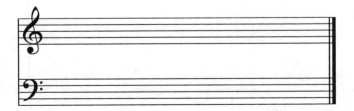

FIGURAS DE NOTACIÓN

A continuación pasaremos a conocer las figuras o notación de duración. Una figura es la representación gráfica que determina la duración de una nota musical. A partir de este momento trabajaremos con siete figuras distintas:

redonda

blanca

negra

corchea

semicorchea

fusa

semifusa

- Redonda .... cuatro tiempos.
- Blanca .... dos tiempos.
- Negra .... un tiempo.
- Corchea .... medio tiempo.
- Semicorchea ...... un cuarto de tiempo.
- Fusa .... un octavo de tiempo.
- Semifusa .... un dieciseisavo de tiempo.

En esta relación podemos observar como están ordenadas entre sí, así como la duración de cada una de ellas. Para establecer dicha duración hemos tomado como referencia la negra, ya que es la figura que representa la unidad.

SILENCIOS

Los silencios son símbolos o signos que teniendo duración carecen de sonido como su propio nombre indica. El lenguaje musical funciona igual que el lenguaje hablado ya que se sirve de los silencios para crear una serie de pausas que establecen el fraseo que dota de sentido rítmico a la melodía. De la misma manera que sus respectivas figuras, los silencios quedan ordenados de la siguiente forma:

redonda

blanca

negra

corchea

semicorchea

fusa

semifusa

– Silencio de redonda .... cuatro tiempos.
– Silencio de blanca .... dos tiempos.
– Silencio de negra .... un tiempo.
– Silencio de corchea .... medio tiempo.
– Silencio de semicorchea .... un cuarto de tiempo.
– Silencio de fusa .... un octavo de tiempo.
– Silencio de semifusa .... un dieciseisavo de tiempo.

SIGNOS DE PROLONGACIÓN

Para alterar de manera extraordinaria la duración de las figuras, podemos utilizar una serie de signos llamados de prolongación. El primero de ellos es la LIGADURA. Ésta es una línea curva que sirve para unir dos o más notas que tengan el mismo nombre y sonido. De esta manera dos notas ligadas suman sus respectivos valores articulándose sólo el sonido de la primera.

El segundo de estos símbolos es el PUNTILLO y también sirve para aumentar o prolongar la duración de una nota en concreto. Este signo es un punto que colocado a la derecha de una nota, aumenta su duración añadiendo la mitad del valor de dicha nota. Es decir, tomando como ejemplo una blanca, añadiéndole un puntillo pasaría a tener una duración de dos más uno, o lo que es igual, tres partes. A un primer puntillo se le pueden añadir puntillos sucesivos, pero en este caso cada puntillo vale la mitad que el anterior. Los puntillos pueden acompañar tanto a figuras como a silencios.

Por último disponemos de otro símbolo llamado CALDERÓN, que consiste en un semicírculo con un punto negro en el centro, que colocado encima o debajo de una nota o silencio permite aumentar la duración de estos últimos a la voluntad del intérprete. En el caso de estar interpretando una melodía con varios interpretes simultáneamente, la forma de hacer el calderón es po- ner se de acuerdo con el resto de músicos o bien seguir las instrucciones del director musical si lo hubiere.

Compás

Hasta el momento hemos visto la notación de duración, es decir las figuras y sus correspondientes valores, pero aún necesitamos otro elemento más para completar el lenguaje básico de la música. Este nuevo elemento es el compás y a partir de ahora nos servirá para ubicar las figuras así como para establecer una rítmica basada en acentos regulares y periódicos, que doten a la melodía de una cierta coherencia y sentido musical.

Podemos definir compás como una división y ordenación musical en unidades constantes llamadas tiempos o partes. La unidad métrica existente entre un acento y el siguiente también nos puede ayudar a entender mejor la idea de compás. Los compases se pueden dividir en tiempos que a su vez se subdividen en partes de tiempo. Para separar los sucesivos compases que encontramos a lo largo de una obra musical, utilizaremos unas líneas llamadas divisorias. Estas líneas cruzan el pentagrama de manera vertical y hacen como ya hemos dicho, que entre una y otra podamos enmarcar un compás.

Existen muchas clases de compás dependiendo de sus características y en base a su tipo de métrica, pero sólo veremos los más comunes, ya que el estudio de la totalidad de los compases nos llevaría gran cantidad de tiempo y por otro lado no es ése el fin de esta obra.

Podemos hacer dos distinciones dentro de los tipos de compás: compases de subdivisión binaria y compases de subdivisión ternaria. Esto quiere decir que en los compases de subdivisión binaria, podemos hacer una división en dos partes iguales de cualquiera de sus partes o tiempos. Por el contrario en los compases de subdivisión ternaria, esta división la podemos realizar en tres partes iguales.

– Subdivisión binaria: 2/4,3/4, 4/4.

Como vemos en los anteriores pentagramas, estos compases pueden tener dos, tres o cuatro partes según nos lo indique el numerador del quebrado. La figura que representa la unidad en este caso es la negra, por lo tanto en un compás podremos insertar tantas negras como nos indique ese numerador que ya hemos citado. Igualmente y teniendo en cuenta la equivalencia de valores o duraciones de todas las figuras entre sí, podemos insertar más o menos figuras dependiendo de las necesidades.

– Subdivisión ternaria: 6/8, 9/8, 12/8.

Al igual que en los compases de subdivisión binaria, los de subdivisión ternaria también pueden tener dos, tres o cuatro partes. En estos la diferencia estriba en la figura que representa la unidad ya que en este caso es una negra con puntillo. Del mismo modo que en los anteriores, podemos insertar tantas negras con puntillo como nos indique el numerador del quebrado.

ACENTUACIÓN

Al igual que ocurre en el lenguaje hablado, la música tiene una serie de acentos que hay que respetar para que la melodía que estamos interpretando, esté dotada de un cierto sentido y coherencia. Estos acentos se producen además de una manera periódica, es decir, se dan siempre en la misma parte del compás, cambiando su situación dependiendo del tipo de compás en el que esté escrita la partitura.

Estas notas acentuadas las denominaremos partes fuertes, al contrario que las notas no acentuadas que denominaremos partes débiles. Entre estos dos tipos de acentos también tenemos un acento intermedio que se denomina parte semifuerte, en la que acentuaremos la nota, pero en menor medida que en la parte fuerte. De este modo, la disposición de acentos en los compases que acabamos de ver queda de la siguiente manera:

– Compás de 2/4 .... fuerte – débil.

– Compás de 3/4 .... fuerte – débil – débil.

– Compás de 4/4 .... fuerte – débil – semifuerte – débil.

– Compás de 6/8 .... fuerte – débil.

– Compás de 9/8 .... fuerte – débil – débil.

– Compás de 12/8 .. fuerte – débil – semifuerte – débil.

Estos acentos se ven reflejados gráficamente con los símbolos que podemos observar encima o debajo de algunas notas, aunque no siempre los vamos a encontrar escritos. Por ello debemos aprender de memoria donde se encuentran las partes fuertes y débiles.

CAMBIOS DE ACENTUACIÓN

Como ya hemos dicho anteriormente, en la mayor parte de la música el acento métrico y el acento rítmico coinciden, pero esto no quiere decir que no haya excepciones. Esta coincidencia puede ser alterada de manera deliberada. Estos cambios de acentuación los podemos llevar a cabo por medio de la síncopa y el contratiempo.

La SÍNCOPA es un sonido que empieza en parte o fracción débil y se prolonga sobre la parte o fracción fuerte del siguiente tiempo. Por supuesto, se pueden enlazar varias síncopas consecutivas, prolongando de esta manera el efecto sincopado. Mediante la síncopa se consigue realzar la parte o fracción débil del compás eliminando el acento de la parte o fracción fuerte del mismo. En la síncopa intervienen dos elementos fundamentales que son el ataque y la resolución de ésta. Como hemos dicho, el ataque se produce en parte o fracción débil y la resolución en parte o fracción fuerte. El atractivo de este efecto se basa en la contradicción entre acento métrico y acento rítmico.

El CONTRATIEMPO se basa en notas que se dan en parte o fracción débil y que van precedidas a su vez de un silencio que ocupa la parte o fracción fuerte. Para explicarlo de una manera más fácil podemos pensar en una síncopa en la que hemos sustituido la resolución por un silencio. En el caso de estas notas a contratiempo, el efecto que se consigue es el mismo que en la síncopa, es decir, una contradicción entre los dos acentos: métrico y rítmico.

Las notas a contratiempo también se pueden conseguir desplazando el acento hacia la parte débil, sin necesidad de que la parte fuerte sea un silencio.

GRUPOS DE VALORACIÓN ESPECIAL

En anteriores apartados, hemos podido observar que es posible realizar cualquier división de la unidad rítmica en dos o más partes o fracciones. Cuando esta división deriva directamente de las figuras que existen ya sean simples o compuestas, la división es de tipo natural. Si tomamos como ejemplo un tiempo de subdivisión binaria, o sea una negra, podemos dividirla en dos corcheas, cuatro semicorcheas, etc. Por el contrario si tomamos como ejemplo un tiempo de subdivisión ternaria, es decir una negra con puntillo, la división que podemos llevar a cabo es de tres corcheas, seis semicorcheas, etc.

Bien, veamos qué pasa si la división la realizamos a través de figuras no derivadas de figuras convencionales. Al tomar de nuevo como ejemplo una negra que represente la unidad, podemos realizar una subdivisión de tipo irregular dividiendo esta figura en tres corcheas, cinco semicorcheas, etc, es decir, en valores de tipo irregular. Para entender esto último sólo tenemos que observar la relación que se establece:

NEGRA (valor binario) = TRES CORCHEAS (valor ternario)

De la misma manera podemos aplicar este tipo de división a los compases de subdivisión ternaria. Para ello tomaremos como ejemplo una negra con puntillo y volveremos a realizar una subdivisión de tipo irregular dividiendo esta figura en dos corcheas. De esta manera la relación que resulta es:

NEGRA CON PUNTILLO (valor ternario) = DOS CORCHEAS (valor binario)

Como hemos podido observar en los dos ejemplos, las relaciones matemáticas que se establecen siempre son de tres contra dos y de dos contra tres.

En estos dos casos, las figuras resultantes han sido tresillos y dosillos respectivamente, ambos grupos de valoración especial. Estos grupos de valoración especial los podemos definir como grupos de figuras que adoptan un valor diferente del que representan como grupo natural.

Debemos puntualizar que tanto tresillos como dosillos, se pueden dividir en dos tipos: regulares e irregulares, pero solamente veremos los de carácter regular ya que los irregulares no se dan con tanta asiduidad y su aprendizaje no es el objeto de esta obra.

TRESILLO

Podemos definirlo como la división en tres partes iguales de una figura simple o convencional, que en condiciones normales solamente se puede dividir en dos partes. Como ya hemos podido observar, estos valores sólo se van a poder dar en compases de subdivisión binaria, o sea dos tiempos contra tres. El tresillo se representa gráficamente colocando una pequeña barra por encima o por debajo de las tres notas, con un número tres sobre ésta.

Para interpretarlo debemos saber que las tres notas se ejecutan a la misma velocidad. Esto es muy importante, ya que si realizásemos alguna más rápido o más despacio, podríamos estar interpretando una figuración totalmente distinta y encuadrada dentro del ritmo binario que en un principio y con esta figuración, deseábamos romper.

Otro aspecto imprescindible, es la acentuación de sus tres figuras. En este tipo de valores (tresillos) siempre se acentúa la primera nota de cada tres, ya que de lo contrario se perdería el efecto de ruptura rítmica deseado mediante su utilización.

DOSILLO

El dosillo es la división en dos partes iguales de una figura simple o convencional que en condiciones normales solamente se puede dividir en tres partes. En este caso, este tipo de figuración sólo lo encontraremos en compases de subdivisión ternaria, es decir, tres tiempos contra dos. También el dosillo se representa con un número dos por encima o por debajo de las figuras a las que afecta. Su interpretación también debe ser igual en cuanto al tiempo de ejecución ya que de lo contrario podríamos caer en el error de transformar el dosillo en una figuración con puntillo.

Por ello, debemos interpretarlo repartiendo las dos notas equitativamente a lo largo de las tres fracciones de parte del compás en el que estemos situados en ese momento, que por lógica será un compás de subdivisión ternaria. En cuanto a su acentuación, el dosillo lo hace en la primera de cada dos notas, muy similar a la acentuación que realizaríamos en una figuración de tipo binario.

Alteraciones

Las alteraciones son una serie de signos gráficos que ubicados a la izquierda de las notas, sirven para subir o bajar la altura tonal de las mismas. Tenemos tres signos de alteración: el sostenido, el bemol y el becuadro.

sostenido   bemol   becuadro

El SOSTENIDO afecta a la nota que acompaña de manera ascendente, es decir, aumenta su altura en medio tono. El BEMOL por el contrario disminuye la altura de la nota a la que acompaña también en medio tono. La misión del BECUADRO es anular el efecto del sostenido y del bemol, pero para comprender esto último debemos explicar algunos conceptos más del efecto de las alteraciones.

Podemos encontrar dos tipos de función de estas alteraciones: alteraciones accidentales y alteraciones propias.

Las ALTERACIONES ACCIDENTALES son las que encontraremos de forma ocasional en cualquier momento de una obra musical. Si nos encontramos una nota alterada en cualquiera de las partes de un compás, el efecto de esa alteración afectará a todas las notas de igual nombre que se encuentren dentro de dicho compás. Por lo tanto, si el autor de la obra quiere que una nota en concreto no se vea afectada por la acción de dicha alteración original, no tendrá más que colocar un becuadro a la nota en cuestión.

En el caso de las ALTERACIONES PROPIAS, se trata de las alteraciones que forman parte de la tonalidad en la que está compuesta una obra o pasaje musical. Son alteraciones que se ubican gráficamente en lo que se denomina «armadura» de la clave, es decir, el principio de la partitura en el que se sitúa la clave, el tipo de compás y por tanto las alteraciones propias de la tonalidad de la obra. Esta armadura va a definir qué notas debemos alterar obligatoriamente a lo largo de toda la partitura, salvo que alguna de ellas aparezca afectada por un signo de becuadro, en cuyo caso volveremos a proceder como ya hemos dicho anteriormente, es decir, pulsando esa nota como si fuese natural. Las alteraciones de la clave vienen expresadas gráficamente sobre las líneas y espacios a los que afectan. No obstante para saber cuáles son las notas que debemos alterar en función del número de alteraciones que aparecen en la clave, debemos conocer el orden de las alteraciones:

– Orden de los sostenidos: fa – do – sol – re– la – mi – si.

– Orden de los bemoles: si– mi – la – re – sol – do – fa.

Tomemos como ejemplo una armadura en la que aparecen tres sostenidos, bastará con contar tres alteraciones en la lista que representa el orden de sostenidos, para saber que las notas fa, do y sol deberán tocarse de forma alterada durante toda la obra musical, teniendo en cuenta eso sí, la posible aparición de una de esas notas con becuadro. Para los bemoles seguiremos el mismo procedimiento pero lógicamente cambiando el efecto propio de la alteración.

INTERVALOS

Un intervalo es la diferencia de altura entre dos sonidos interpretados de manera sucesiva o de manera simultánea. Así pues tomaremos los intervalos como unidad de medida para hallar la distancia existente entre dos sonidos. Para ello contamos con dos nuevos conceptos: el tono y el semitono. La distancia mínima que existe entre dos sonidos, es un SEMITONO. Así pues, un TONO resultará de la suma de dos semitonos. En la sucesión de notas naturales, los intervalos se encuentran dispuestos de la siguiente manera:

– Tonos:
- do / re
- re / mi
- fa / sol
- sol / la
- la / si

– Semitonos:
- mi / fa
- si / do

Esta disposición de tonos y semitonos es muy fácil de reconocer visualmente en el teclado del piano ya que entre las teclas mi y fa y las teclas si y do, no existe ninguna tecla negra.

Dentro de los semitonos podemos encontrar semitonos diatónicos: de do a re bemol y por otro lado semitonos cromáticos: de do a do sostenido. Así pues un semitono diatónico es aquel en el que las notas que lo componen tienen nombres distintos y son notas vecinas. En el caso de los semitonos cromáticos se dan cuando las notas que lo componen tienen el mismo nombre y una de ellas se encuentra alterada. Por otro lado los intervalos pueden ser:

– Conjuntos y disjuntos:

Un intervalo es disjunto cuando no sigue el orden sucesivo de la escala, por ejemplo, de do a sol. Por el contrario, un intervalo es conjunto cuando los sonidos que lo forman se suceden por grados inmediatos, por ejemplo, de re a mi.

– Ascendentes y descendentes:

Un intervalo es ascendente cuando el primer sonido que lo compone está por debajo del segundo, por ejemplo, de do a sol. Por el contrario, un intervalo es descendente cuando el primer sonido que lo compone se encuentra situado por encima del segundo, por ejemplo, de sol a do.

– Melódicos y armónicos:

Un intervalo es melódico cuando los sonidos que lo componen se ejecutan sucesivamente en el tiempo. Por el contrario, un intervalo es armónico cuando esos dos sonidos que lo componen se ejecutan simultáneamente. En este último caso sería imposible interpretarlo con una flauta, por ejemplo, ya que, como dijimos al principio, es un instrumento monofónico.

Veamos ahora cómo averiguar la distancia existente entre dos notas, tomando como ejemplo las notas do – sol. Para ello debemos contar dichas notas incluyendo la primera y la última: do, re, mi, fa, sol. La distancia resultante sería un intervalo de quinta, pero dentro de esta primera clasificación por número de notas, caben una serie de matices referentes a la cantidad concreta de tonos y semitonos que se incluyen dentro de esa designación numérica de notas. Estos matices o calificativos son: intervalos disminuidos, menores, justos, mayores y aumentados. Así, dentro de un intervalo de quinta podemos encontrar la quinta justa, la quinta aumentada y la quinta disminuida, dependiendo como ya hemos dicho, de la cantidad de tonos y semitonos que contenga ese intervalo de quinta. Debemos señalar que todos estos conceptos pertenecen a un nivel teórico considerable, por lo que los veremos nada más que a título informativo, sin profundizar demasiado en ellos. No obstante, a continuación incluimos un cuadro de intervalos muy útil como elemento de consulta ante cualquier duda que pueda surgir al respecto de este tema.

Las abreviaturas «t» y «st» corresponden a los términos «tono» y «semitono» respectivamente, indicando de este modo la distancia mediante la columna de la izquierda y el tipo de intervalo en la columna horizontal superior. En algunos casos la distancia interválica existente se encuentra en blanco, lo que significa que en ese caso no se puede dar un intervalo de ese tamaño por cuestiones de lógica numérica. Si tomamos como ejemplo el intervalo de segunda mayor y menor, podemos observar que ambos intervalos constan de un tono y un semitono respectivamente, de lo que se deduce que no existe un intervalo numérico que se halle entre la distancia de tono y semitono.

	Disminuido	Menor	Justo	Mayor	Aumentado
2ª		1 st		1 t	1 t y 1 st
3ª		1 t y 1 st		2 t	2 t y 1 st
4ª	2 t		2 t y 1 st		3 t
5ª	3 t		3 t y 1 st		4 t
6ª		4 t		4 t y 1 st	5 t
7ª		5 t		5 t y 1 st	
8ª			6 t		

TONALIDAD

La tonalidad es un conjunto de sonidos ordenados mediante relaciones equivalentes, estando éstas determinadas por un sonido básico llamado tónica, que representa el primer grado de la escala de esa tonalidad. Las notas que componen una tonalidad representan un sistema de referencia que gira en torno a un sonido central o fundamental. La tonalidad que se le asigna puede ser mayor o menor según sea la disposición de sus intervalos. A cada tonalidad mayor se le asigna una tonalidad menor llamada tonalidad relativa, cuya nota fundamental se encuentra situada a distancia de tercera menor por debajo de la tonalidad mayor principal. Como veremos, la tonalidad principal y su tonalidad relativa comparten el mismo número y tipo de notas alteradas, con la única salvedad de estar distribuidas en lugares distintos de la escala musical.

Para que el material acústico pueda convertirse en un vehículo de información musical, este material debe sucederse de una manera ordenada. De todos los parámetros sonoros, sólo la altura del sonido determina esta ordenación dentro del sistema tonal. Por ello podemos definir una ESCALA como la sucesión ordenada de los sonidos propios de una tonalidad.

La escala puede estar representada por los tres géneros musicales: diatónico, cromático y enarmónico.

En la ESCALA DIATÓNICA los sonidos se mueven por movimientos conjuntos de tonos y semitonos según un orden preestablecido, por ello pueden formarse desde cualquier nota resultando una escala equivalente al modelo original. Debemos decir que ésta es la escala más habitual y es la que más vamos a utilizar en la práctica musical.

En la escala cromática los sonidos se suceden por semitonos cromáticos. Como podemos observar a continuación, el nombre de algunas notas se repite cambiando eso sí, sus alteraciones.

La escala enarmónica se compone de todos los sonidos naturales así como todos los sonidos alterados del sistema temperado musical. En realidad es la suma de dos escalas cuyo resultado sonoro es el mismo pero en las que sus notas tienen nombres distintos.

Para comprender el funcionamiento de las escalas, debemos seguir conociendo los elementos de los que están compuestas. Toda escala tiene dos posibles versiones: la escala mayor y la escala menor, es decir dos modalidades. La modalidad es la diferente distribución de los sonidos de una escala en cuanto a interválica se refiere. Veamos a continuación la escala mayor y menor que podemos formar, partiendo de la misma nota:

Como vemos, la escala es la misma pero la distribución de los intervalos es distinta formándose así un modo diferente denominado modo menor. En la escala mayor los semitonos se sitúan de mi a fa y de si a do. Sin embargo, en la escala menor los semitonos se sitúan de re a mi bemol y de sol a la bemol.

Continuaremos con los GRADOS DE LA ESCALA. Estos grados son cada uno de los sonidos que componen una escala diatónica y para representarlos gráficamente, lo haremos mediante números romanos, aunque también tienen su propio nombre que conviene aprender con cierta soltura. Veamos el siguiente ejemplo de la escala diatónica de Do mayor:

DO .... I grado .... Tónica, da nombre a la tonalidad.

RE ....II grado .... Supertónica, se sitúa por encima de la tónica.

MI.... III grado ...... Mediante, se sitúa entre el I° y V° grado.

FA.... IV grado ...... Subdominante, por debajo de la dominante.

SOL.. V grado ...... Dominante, rige el mecanismo tonal.

LA .... VI grado ...... Superdominante, se sitúa por encima de la considerada dominante.

SI .... VII grado ...... Subtónica, se sitúa debajo de la tónica a distancia de un tono de la octava.
Sensible, se sitúa a distancia de un semitono de la octava.

DO..VIII grado ...... Tónica, es la duplicación del primer grado.

Como podemos observar, el séptimo grado puede ser subtónica, que correspondería a si bemol, o sensible, que correspondería a si natural.

A continuación pasaremos a ver todas las escalas diatónicas mayores y menores, que se pueden formar a partir de las siete notas naturales. De los tres tipos de escala que podemos formar, diatónicas, cromáticas y enarmónicas, hemos elegido la escala diatónica porque es la que más vamos a utilizar en los ejercicios y obras que se plantean en este libro.

Con esta sucesión de escalas podemos improvisar un ejercicio practicando su uso con ambas manos, de manera alterna y de manera simultánea. La digitación para este tipo de escalas está basada en lo que se conoce como «paso del pulgar». Este tipo de digitación consiste en hacer una escala de ocho notas, con los cinco dedos de cada mano. Para ello nos basaremos en la escala natural de la tonalidad de do mayor, utilizando la siguiente numeración:

Para que el estudio de estas escalas sea el adecuado, debemos realizar correctamente el paso del dedo pulgar y el dedo medio, de una manera suave y no forzada. Para ello debemos practicar antes el movimiento de estos dedos intentando adquirir la máxima flexibilidad de los mismos. A la vez debemos cuidar la posición y los movimientos que realizan las muñecas. Estos movimientos no deben ser pronunciados ya que de lo que se trata es de hacer trabajar a los dedos y no a los antebrazos.

Escala de Do Mayor

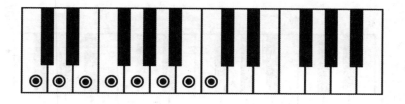

Escala de Re Mayor

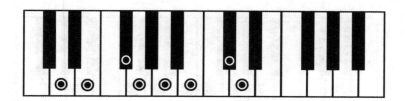

Escala de Mi Mayor

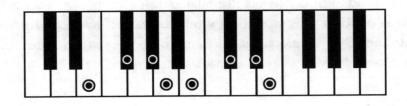

Escala de Fa Mayor

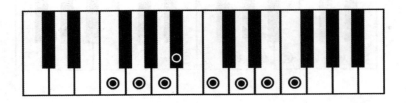

Escala de Sol Mayor

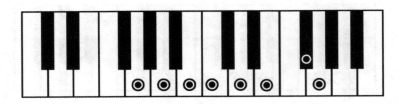

NOCIONES BÁSICAS DE TEORÍA MUSICAL • 95

Escala de La Mayor

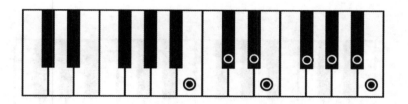

Escala de Si Mayor

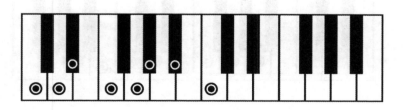

A continuación pasamos a ver las escalas menores.

Escala de Do menor

Escala de Re menor

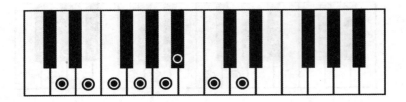

Escala de Mi menor

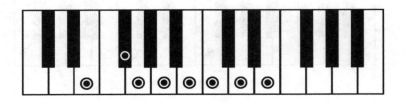

Escala de Fa menor

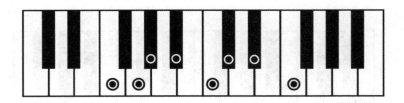

Escala de Sol menor

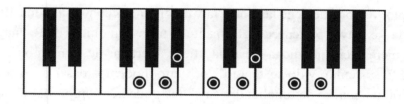

Escala de La menor

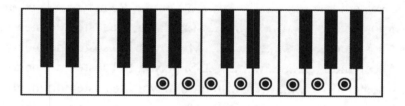

Escala de Si menor

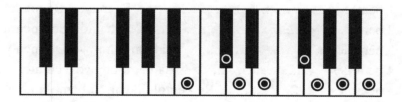

Como podemos observar si analizamos todas las anteriores escalas, cada una de ellas tiene una serie de notas alteradas que forman parte de la tonalidad a la que pertenece dicha escala. Si tomamos la escala de Re mayor como ejemplo, vemos que tiene las notas fa y do alteradas con sostenidos. Esta escala de Re mayor pertenece lógicamente al tono homónimo de Re mayor, lo que quiere decir que dicha tonalidad tiene alteradas de forma obligada las notas fa sostenido y do sostenido. Por tanto, podemos pasar a ver a continuación un cuadro de tonalidades en el que podemos comprobar el número y tipo de alteraciones que tiene cada una de esas tonalidades.

Las tonalidades que tienen sostenidos son las siguientes:

1 sostenido .... Sol mayor, Mi menor.
2 sostenidos .... Re mayor, Si menor.
3 sostenidos .... La mayor, Fa sostenido menor.
4 sostenidos .... Mi mayor, Do sostenido menor.
5 sostenidos .... Si mayor, Sol sostenido menor.
6 sostenidos .... Fa sostenido mayor, Re sostenido menor.
7 sostenidos .... Do sostenido mayor, La sostenido menor.

Las tonalidades que tienen bemoles son las siguientes:

1 bemol .... Fa mayor, Re menor.
2 bemoles .... Si bemol, Sol menor.
3 bemoles .... Mi bemol mayor, Do menor.
4 bemoles .... La bemol mayor, Fa menor.
5 bemoles .... Re bemol mayor, Si bemol menor.
6 bemoles .... Sol bemol mayor, Mi bemol menor.
7 bemoles .... Do bemol mayor, La bemol menor.

La tonalidad de una obra musical viene expresada en la armadura de la clave. Como ya señalamos con anterioridad, esta armadura se localiza al comienzo de la obra y comprende varios elementos gráficos como son la clave, el tipo de compás y las alteraciones que van a definir la tonalidad en la que está compuesta la obra. Por tanto, antes de comenzar a ejecutar la partitura debemos analizar la armadura de la clave para conocer dicha tonalidad y a la vez saber cuáles son las notas que tenemos que alterar en un sentido o en otro (sostenidos y bemoles), teniendo en cuenta que dichas notas se tocarán alteradas durante toda la partitura con la única salvedad de que se encuentren afectadas por un becuadro.

ACORDES

Éste es un concepto muy importante dentro del lenguaje musical ya que los acordes constituyen en gran medida la base armónica de cualquier composición musical en la que existan varias voces.

Podemos definir el concepto de acorde como un conjunto de sonidos tocados de manera simultanea. Para construir un acorde debemos contar con un mínimo de tres sonidos, los cuales deben encontrarse dispuestos entre sí a una distancia de intervalo de tercera ya sea mayor o menor, dependiendo del tipo de acorde que vayamos a formar.

Antes de pasar a conocer los tipos de acordes que existen, debemos señalar que teniendo en cuenta el carácter de la obra que nos ocupa y el grado de dificultad y nivel de aprendizaje que se pretende en la misma, nos limitaremos a ver solamente un tipo de acordes, dejando de lado los acordes más evolucionados y complejos que además responden a un género musical relacionado más con el jazz y la música más vanguardista.

Los acordes se dividen según el número de notas que los componen en acordes de tres o cuatro sonidos. Los acordes de tres sonidos se dividen a su vez en acordes mayores y acordes menores. Ambos se forman a partir de la nota fundamental que da el nombre a dicho acorde y, como dijimos anteriormente, se forman por terceras. Precisamente, entre las dos primeras notas que forman el acorde, es donde reside la diferencia entre una acorde mayor y un acorde menor. En el acorde mayor las dos primeras notas forman un intervalo de tercera mayor, es decir un tono y un semitono. Así, tomando como ejemplo el acorde de Do mayor, resultaría de la siguiente manera:

DO – MI – SOL

Como podemos observar, de la nota do a la nota mi, existe un intervalo de tercera mayor y de la nota mi a la nota sol, el intervalo resultante es un intervalo también de tercera pero en este caso menor, lo que forma con respecto de la nota do una quinta justa. Para formar el mismo acorde pero en modo menor, el procedimiento consistiría en añadir un bemol a la nota mi para de este modo convertirla en tercera menor, quedando la quinta del mismo modo, es decir, quinta justa. La denominación correcta para estos acordes es «acordes perfectos mayores» y «acordes perfectos menores».

En el caso de los acordes de cuatro sonidos, la única diferencia estriba en que al tercer sonido de un acorde ya sea mayor o menor, se la ha añadido otra nota más a distancia de tercera mayor o menor, con respecto de ese tercer sonido. Estos acordes son conocidos como «acordes de séptima» ya que precisamente el intervalo que forma ese cuarto sonido con respecto del sonido fundamental, es un intervalo de séptima mayor o menor dependiendo de los casos. Para que el acorde sea de séptima mayor y tomando de nuevo como ejemplo el acorde de Do mayor, deberíamos añadir una tercera mayor a la tercera nota del acorde, es decir, a la nota sol. De este modo tendríamos la siguiente disposición de notas:

DO – MI – SOL – SI

Para convertir este acorde de séptima mayor en uno de séptima menor, deberíamos añadir un bemol a la nota que forma el intervalo de séptima con la fundamental, quedando dispuesto de la siguiente manera:

DO – MI – SOL – SIb

Este tipo de acordes, independientemente de la séptima que se le añada, pueden ser perfectos mayores o perfectos menores. En esta obra trataremos únicamente los acordes mayores y menores con séptima menor, formados a partir de una nota natural y en sus tres posiciones, ya que por el momento los esquemas armónicos de los ejercicios y obras que se incluyen más adelante en el libro, no requieren del estudio de otras variantes y versiones.

Pero existen muchas más posibilidades de formar un mismo acorde tan sólo cambiando la disposición o el orden de las notas que lo componen. A este proceso se le denomina «inversión de un acorde» y a continuación veremos un ejemplo para saber en qué consiste. Tomando de nuevo el acorde de Do mayor, vamos a ver las posibilidades que tenemos para jugar con las distintas combinaciones que se pueden dar jugando con las notas que lo componen.

Si utilizamos la disposición por terceras, el acorde de Do mayor quedaría de esta manera:

DO – MI – SOL

Esta disposición se denomina «estado fundamental» y es la que define de una manera más clara y contundente la tonalidad en la que se encuentra una obra o fragmento musical. La siguiente disposición es la denominada «primera inversión» y se consigue trasladando el primer sonido del acorde, es decir la nota do, hasta la posición más aguda de dicho acorde, invirtiendo su posición de nota más grave a más aguda, quedando por tanto su disposición de la siguiente manera:

MI – SOL – DO

Por ultimo, nos queda la «segunda inversión» que como el lector imaginará se consigue trasladando de nuevo el segundo sonido que forma el acorde hasta la posición más aguda de dicho acorde, quedando éste conformado de la siguiente manera:

SOL – DO – MI

El procedimiento para los acordes de cuatro sonidos es exactamente el mismo, la única diferencia es que al tratarse de cuatro sonidos en vez de tres, las posibilidades de formar combinaciones se amplían, dando lugar a una inversión más denominada «tercera inversión».

Como ya hemos dicho, existen más tipos de acordes pero su estudio constituye un paso muy importante en el aprendizaje del piano, no encontrándose acorde con el objetivo de esta obra. A continuación ponemos a disposición del alumno una serie de tablas de acordes representados gráficamente sobre unas figuras de teclado, para que de este modo su aprendizaje se haga más fácil y ameno. Es conveniente que el alumno se familiarice con los acordes con ambas manos, aunque el uso de éstos se dé en mayor medida con la mano izquierda a modo de acompañamiento de la mano derecha que representa la melodía de la canción. La digitación que vamos a utilizar para tocar los acordes perfectos mayores y perfectos menores será la siguiente:

	mano derecha	mano izquierda
Perfecto mayor	1 – 3 – 5	5 – 3 – 1
Perfecto menor	1 – 2 – 5	5 – 2 – 1

La diferencia a la hora de elegir entre los dedos 3/2 en la mano derecha, y entre los dedos 3/2 de la mano izquierda, reside en la mayor o menor apertura de dichos dedos. Siempre elegiremos la configuración que resulte más cómoda y natural, tratando siempre de no adoptar posiciones forzadas.

La digitación que utilizaremos para los acordes de séptima tanto mayor como menor será la siguiente:

	mano derecha	mano izquierda
Estado fundamental	1 – 2 – 3 – 5	5 – 3 – 2 – 1
Primera inversión	1 – 2 – 4 – 5	5 – 4 – 2 – 1
Segunda inversión	1 – 2 – 3 – 5	5 – 4 – 2 – 1
Tercera inversión	1 – 2 – 4 – 5	5 – 4 – 2 – 1

Como podemos observar tenemos dos variantes de digitación en las que la diferencia estriba en el uso del dedo tres y el dedo cuatro. Para elegir entre uno u otro dedo, nos basaremos en buscar la posición menos forzada de las dos posibles opciones.

Debemos tener en cuenta que estas digitaciones son apropiadas para tonalidades que contengan cuatro alteraciones como máximo en su armadura.

Acordes perfectos mayores partiendo de una nota natural.

Acorde de Do mayor

Estado fundamental:

Primera inversión:

Segunda inversión:

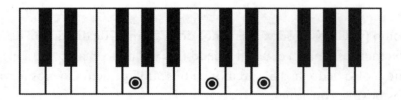

Acordes de Re mayor

Estado fundamental:

Primera inversión:

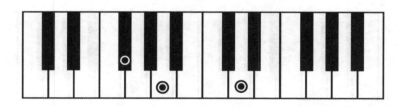

Segunda inversión:

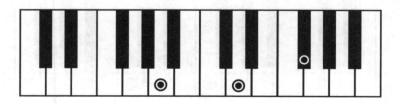

Acordes de Mi mayor

Estado fundamental:

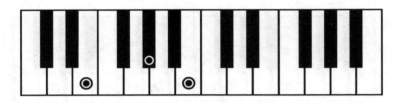

Primera inversión:

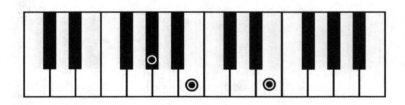

Segunda inversión:

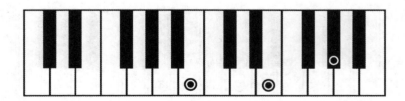

Acordes de Fa mayor

Estado fundamental:

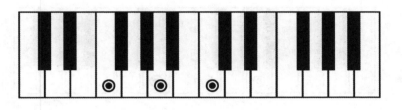

Primera inversión:

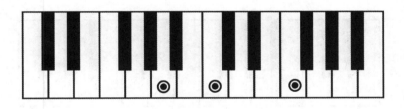

Segunda inversión:

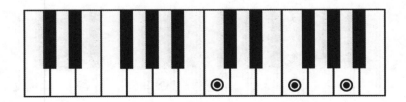

Acordes de Sol mayor

Estado fundamental:

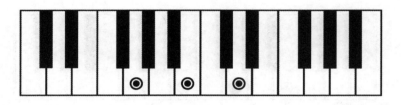

Primera inversión:

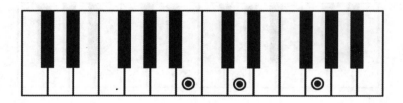

Segunda inversión:

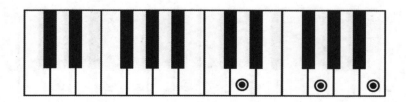

Acordes de La mayor

Estado fundamental:

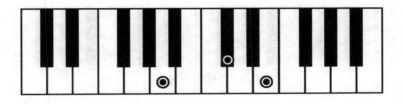

Primera inversión:

Segunda inversión:

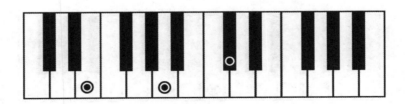

Acordes de Si mayor

Estado fundamental:

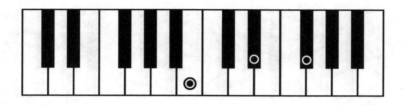

Primera inversión:

Segunda inversión:

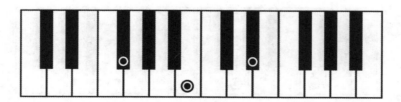

Acordes menores partiendo de una nota natural.

Acordes de Do menor

Estado fundamental:

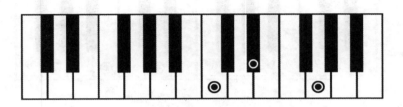

Primera inversión:

Segunda inversión:

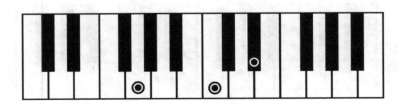

Acordes de Re menor

Estado fundamental:

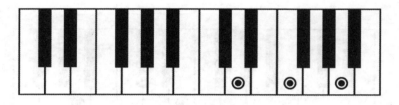

Primera inversión:

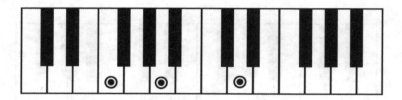

Segunda inversión:

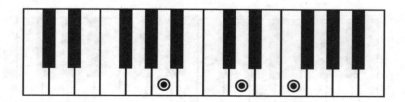

Acorde de Mi menor

Estado fundamental:

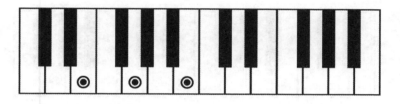

Primera inversión:

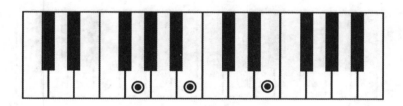

Segunda inversión:

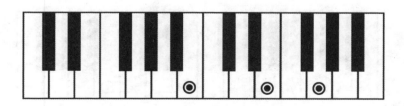

Acorde de Fa menor

Estado fundamental:

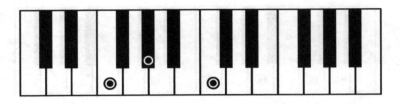

Primera inversión:

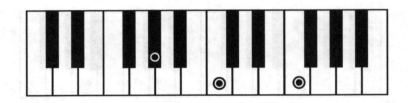

Segunda inversión:

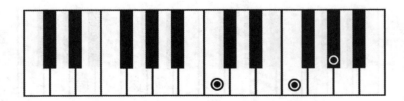

Acordes de Sol menor

Estado fundamental:

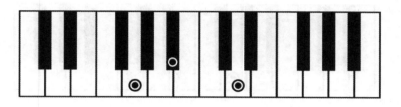

Primera inversión:

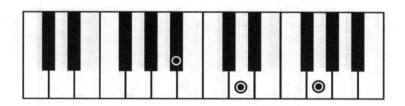

Segunda inversión:

Acordes de La menor

Estado fundamental:

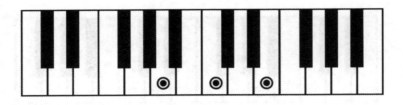

Primera inversión:

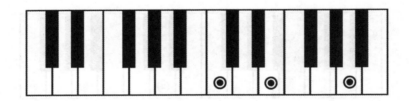

Segunda inversión:

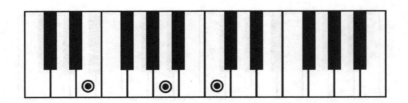

Acordes de Si menor

Estado fundamental:

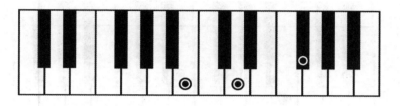

Primera inversión:

Segunda inversión:

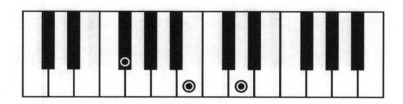

Acordes perfectos mayores a partir de una nota alterada.

Acordes de Do sostenido mayor / Re bemol mayor

Estado fundamental:

Primera inversión:

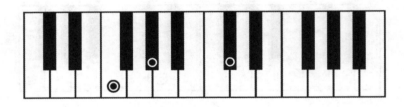

Segunda inversión:

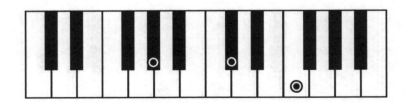

Acordes de Re sostenido mayor / Mi bemol mayor

Estado fundamental:

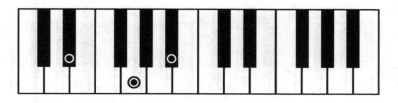

Primera inversión:

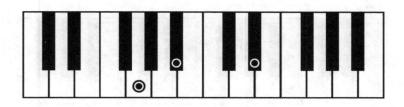

Segunda inversión:

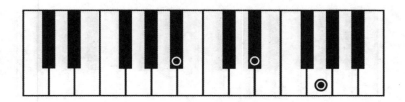

Acorde de Fa sostenido mayor / Sol bemol mayor

Estado fundamental:

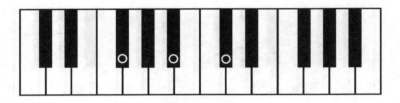

Primera inversión:

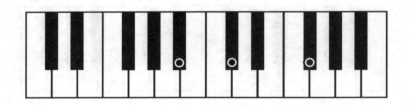

Segunda inversión:

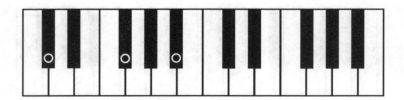

Acordes de Sol sostenido mayor / La bemol mayor

Estado fundamental:

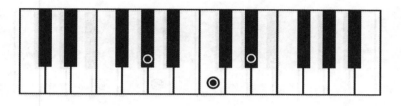

Primera inversión:

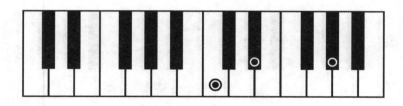

Segunda inversión:

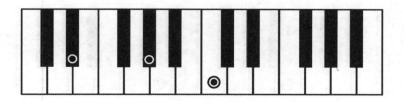

Acordes de La sostenido mayor / Si bemol mayor

Estado fundamental:

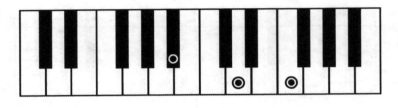

Primera inversión:

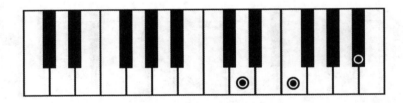

Segunda inversión:

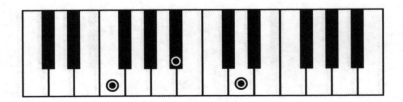

Acordes perfectos menores a partir de una nota alterada.

Acorde de Do sostenido menor / Re bemol menor

Estado fundamental:

Primera inversión:

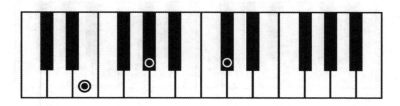

Segunda inversión:

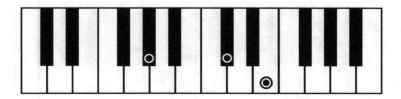

Acorde de Re sostenido menor / Mi bemol menor

Estado fundamental:

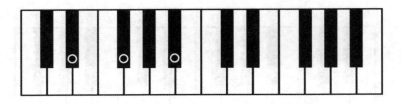

Primera inversión:

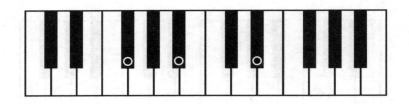

Segunda inversión:

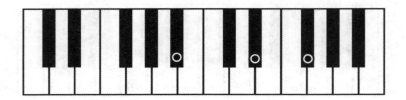

Acorde de Fa sostenido menor / Sol bemol menor

Estado fundamental:

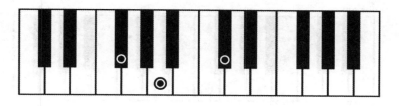

Primera inversión:

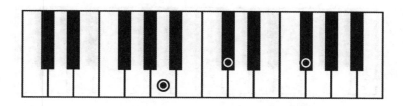

Segunda inversión:

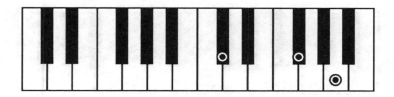

Acorde de Sol sostenido menor / La bemol menor

Estado fundamental:

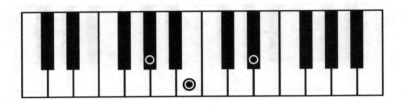

Primera inversión:

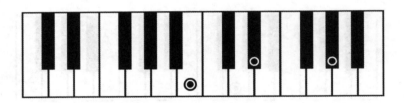

Segunda inversión:

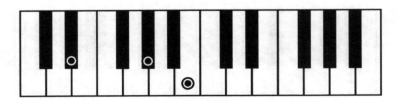

Acorde de La sostenido menor / Si bemol menor

Estado fundamental:

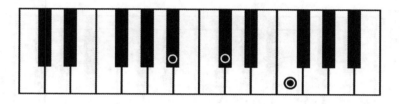

Primera inversión:

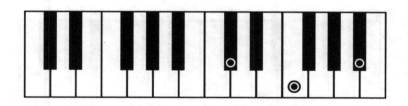

Segunda inversión:

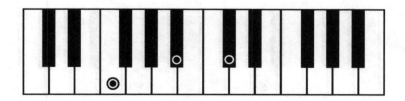

Acordes perfectos mayores con séptima menor añadida.

Acorde de Do mayor con séptima menor

Estado fundamental:

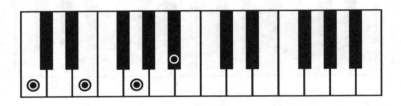

Primera inversión:

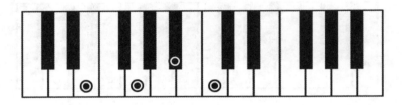

Segunda inversión:

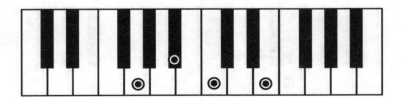

Tercera inversión:

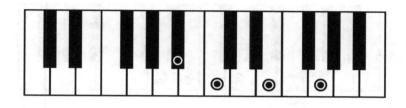

Acorde de Re mayor con séptima menor

Estado fundamental:

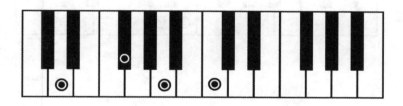

Primera inversión:

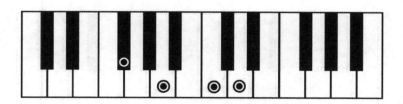

Segunda inversión:

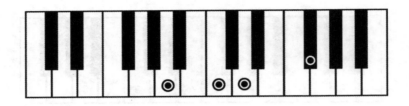

Tercera inversión:

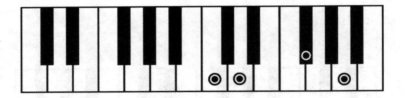

Acorde de Mi mayor con séptima menor

Estado fundamental:

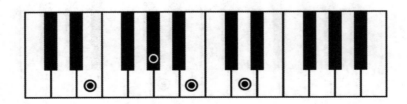

Primera inversión:

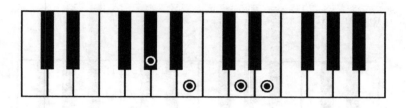

Segunda inversión:

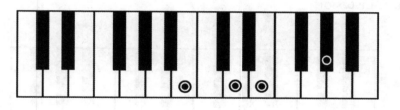

Tercera inversión:

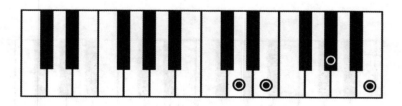

Acorde de Fa mayor con séptima menor

Estado fundamental:

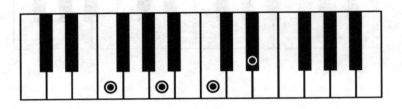

Primera inversión:

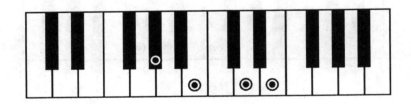

Segunda inversión:

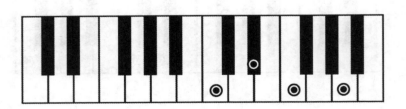

Tercera inversión:

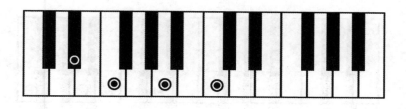

Acorde de Sol mayor con séptima menor

Estado fundamental:

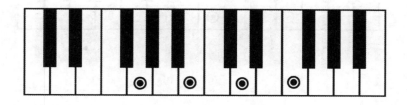

Primera inversión:

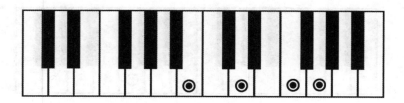

Segunda inversión:

Tercera inversión:

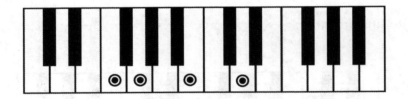

Acorde de La mayor con séptima menor

Estado fundamental:

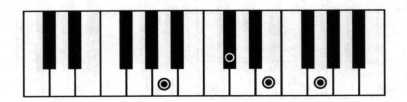

Primera inversión:

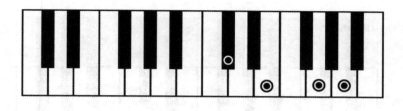

Segunda inversión:

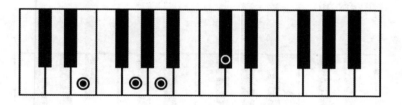

Tercera inversión:

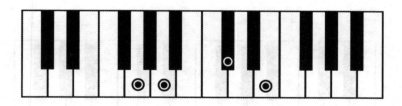

Acorde de Si mayor con séptima menor

Estado fundamental:

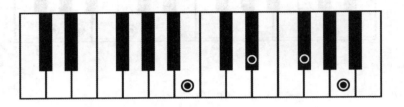

Primera inversión:

Segunda inversión:

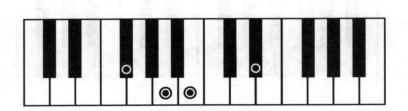

Tercera inversión:

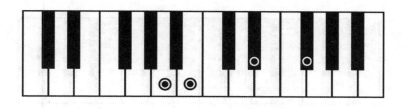

Acordes perfectos menores con séptima menor añadida.

Acorde de Do menor con séptima menor

Estado fundamental:

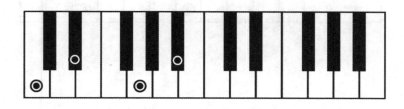

Primera inversión:

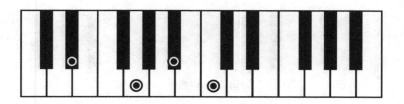

Segunda inversión:

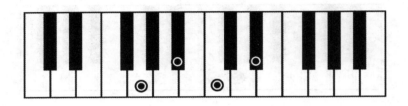

Tercera inversión:

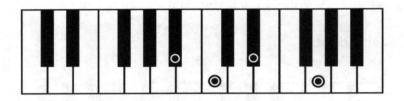

Acorde de Re menor con séptima menor

Estado fundamental:

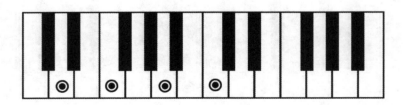

Primera inversión:

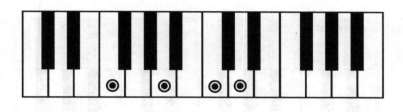

Segunda inversión:

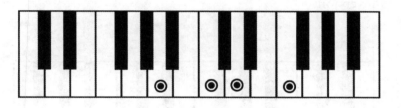

Tercera inversión:

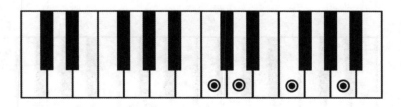

Acorde de Mi menor con séptima menor

Estado fundamental:

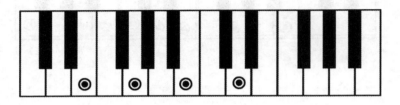

Primera inversión:

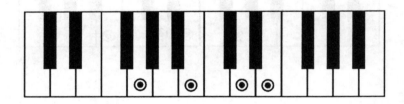

Segunda inversión:

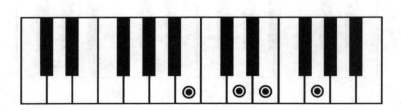

Tercera inversión:

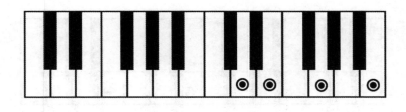

Acorde de Fa menor con séptima menor

Estado fundamental:

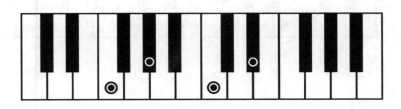

Primera inversión:

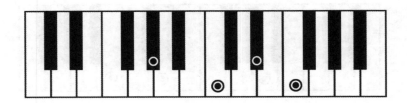

Segunda inversión:

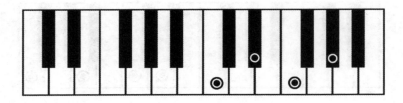

Tercera inversión:

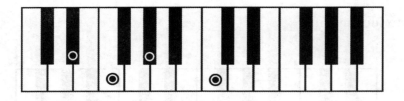

Acorde de Sol menor con séptima menor

Estado fundamental:

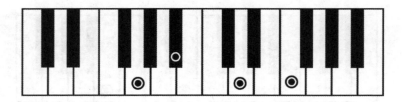

Primera inversión:

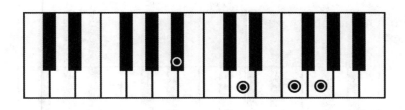

Segunda inversión:

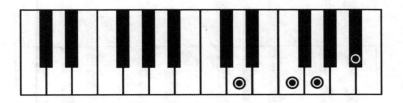

Tercera inversión:

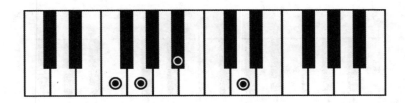

Acorde de La menor con séptima menor

Estado fundamental:

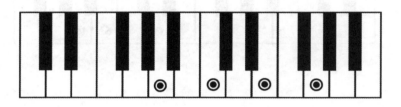

Primera inversión:

Segunda inversión:

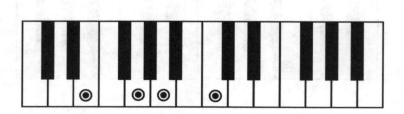

Tercera inversión:

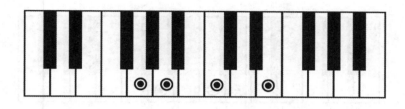

Acorde de Si menor con séptima menor

Estado fundamental:

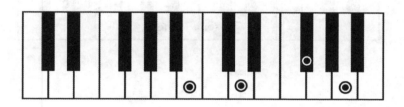

Primera inversión:

Segunda inversión:

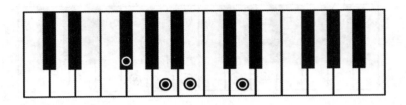

Tercera inversión:

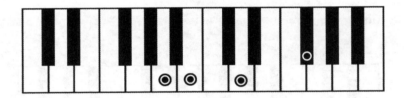

EXPRESIÓN

El primer concepto que veremos en este apartado es el TEMPO. Lo definiremos como el grado de velocidad con que se puede ejecutar una obra musical. Por medio del tempo podemos fijar la duración absoluta de las figuras, ya que una figura será más o menos larga dependiendo de la velocidad con la que estemos interpretando esa obra en concreto. El grado de velocidad de una obra musical, viene expresado gráficamente como negra = un número x. Si por ejemplo encontramos la igualdad negra = 60, debemos interpretar que la velocidad o tempo de la obra, será de 60 negras por minuto. Esta fórmula es la más común pero también podemos encontrar otro tipo de igualdades sustituyendo la figura de referencia por otra figura cualquiera, que será la figura que represente la unidad de compás en el tipo de compás que estemos utilizando.

Para ayudarnos en la labor de mantener un tempo más o menos constante, tenemos a nuestro alcance un instrumento mecánico llamado «metrónomo». Éste consiste en un péndulo invertido accionado por un mecanismo de relojería, que nos permite graduar sus oscilaciones de manera controlada y medida sobre una escala que comienza con 40 negras por minuto y que acaba en 208. Hoy en día este tipo de instrumentos de funcionamiento mecánico han quedado obsoletos dando paso a metrónomos de mecanismo electrónico o incluso digital. El uso del metrónomo nos puede ayudar de una manera importante, sobre todo al principio de nuestro aprendizaje ya que nos va a obligar a respetar un velocidad determinada, ayudándonos simultáneamente a entender y asimilar el concepto de tempo.

A continuación veremos una serie de términos de movimiento representados de menos a más:

Grave .... Muy despacio .... menos de 40 negras por minuto.

Larghíssimo.. Muy despacio .... menos de 40 negras por minuto.

Largo .... Despacio .... entre 40 y 60 negras por minuto.

Larghetto .... Un poco menos que Largo.

Lento........... Lento, despacio................. entre 60 y 66 negras por minuto.

Adagio .... Lento pero menos que el anterior.

Adagietto .... Menos despacio que Adagio.

Andante ...... Pausado .... entre 76 y 108 negras por minuto.

Andantino .... Un poco menos lento que andante.

Moderato .... Con moderación .... entre 108 y 120 negras por minuto.

Allegretto .... Menos animado que Allegro.

Allegro .... Animado, aprisa .... entre 120 y 168 negras por minuto.

Vivace .... Vivo, más que Allegro ...... entre 168 y 208 negras por minuto.

Vivacísimo.... Mas veloz que Vivace.

Presto .... Muy rápido, apresurado.

Prestísimo .... Más rápido que Presto ...... más de 208 negras por minuto.

Debemos tener en cuenta que las indicaciones numéricas de tempo, no están homologadas. Por lo tanto, en alguna ocasión puede darse la circunstancia de que encontremos indicaciones distintas dependiendo de la partitura.

A estos términos se les puede añadir una serie de indicaciones que nos ayudan a matizar su significado. Estas indicaciones son las siguientes:

Assai .... Bastante.

Con moto .... Movido.

Poco .... Poco.

Meno .... Menos.

Molto .... Mucho, muy.

Mosso .... Movido, animado.

Non Troppo .... No demasiado.

Non tanto .... No tanto.

Quasi .... Casi, como.

Più .... Más.

Ancor più .... Aún más.

Sempre più .... Siempre más.

Sostenuto .... Contenido.

Toda esta terminología la veremos escrita encima del pentagrama en el lado izquierdo del mismo al principio de la obra. Estos términos afectan al tempo de toda la obra, de principio a fin, pero contamos con la posibilidad de alterar momentáneamente el tempo de un pasaje o fragmento, para más tarde volver al tempo inicial. Para ello podemos utilizar los siguientes términos con sus respectivas abreviaturas:

– Disminución de velocidad:

> Rallentando .... Rall. .... Retrasando.
> Ritardando .... Rit. Ritard. ...... Retardando.
> Allargando .... Allarg. .... Alargando.
> Slargando .... Slarg. .... Ensanchando.
> Ritenendo .... Riten. .... Reteniendo.

– Aumento de velocidad:

> Accelerando .... Accel. .... Acelerando.
> Animando .... Anim. .... Animando,
> ganando velocidad.
> Calcando .... Calc. .... Apretando, acelerando.
> Incalzando .... Incalz. ...... Acosando, acelerando.
> Stringendo .... String. .... Estrechando,
> acelerando, corriendo.

– Cambios repentinos de movimiento:

> Ritenuto .... Riten. .... Retenido.
> Stretto .... Strett. .... Estrecho, apresurado.

– Cambios breves que afectan a una nota o parte de compás:

Tenuto ....Ten. ....Mantenido,
alargamiento de una nota.

– Cambios de tiempo a voluntad:

Ad limitum .... Ad lib. .... A voluntad.
A piacere .... A placer.
A capriccio .... A capricho.
Senza rigore .... Sin rigor de medida.
Senza tempo.. Flexible.

INTENSIDAD

La intensidad se refiere a la fuerza con que ejecutamos una obra o fragmento musical. La intensidad se rige por la dinámica y sus matices, que son una serie de signos y términos que indican la intensidad con la que debemos interpretar los sonidos. Estos matices van a depender en gran medida del carácter de la obra y los más comunes son los que veremos a continuación.

– Matices relativos a intensidad uniforme:

Pianissimo..................... pp .... Muy suave.
Piano .... p .... Suave.
Mezzo-piano .... mp ...... Medianamente suave.
Mezzo-forte................... mf ...... Medianamente fuerte.
Forte .... f .... Fuerte.
Fortissimo..................... ff .... Muy fuerte.

– Matices relativos a cambios progresivos de intensidad:

Crescendo .... Cresc........................... Creciendo,
                                     ganando en intensidad.
Decrescendo .... Decresc. .... Disminuyendo
                                     de intensidad.
Diminuendo............ Dim. .... Disminuyendo
                                     de intensidad.

– Matices relativos a una disminución progresiva tanto de intensidad como de movimiento:

Calando .... Cal. .. Parándose, reduciendo.
Morendo........................ Mor. .... Muriendo.
Perdendosi .... Perd. .... Perdiéndose.
Smorzando .... Smorz. .... Apagándose.
Stinguendo .... Sting .... Extinguiéndose.

Por último pasaremos a ver el CARÁCTER, que no es más que la expresión de un estado de ánimo aplicado a la forma de interpretar. Los matices de carácter junto con la dinámica y el movimiento, logran ofrecer una idea bastante fiel y precisa de cómo debe interpretarse una obra musical. A continuación veremos algunos de ellos.

Agitato .... Agitado.
Animato .... Animado.
Appasionato .... Apasionado.
Brillante .... Brillante.
Cantabile .... Muy cantado.
Con anima .... Con alma, expresivo.

Dolce .... Dulce.

Giocoso .... Juguetón.

Maestoso .... Majestuoso.

Pastorale .... Pastoral.

Risoluto .... Con resolución.

Scherzando .... Jugando.

Vigoroso .... Vigoroso.

Amabile .... Amable.

Amoroso .... Amoroso.

Con brio .... Brioso.

Delicado .... Delicado.

Dolente .... Doliente.

Energico .... Enérgico.

Expresivo .... Expresivamente.

Grandioso .... Grandioso.

Leggiero .... Ligeramente.

Marziale .... Marcial.

Mesto .... Triste.

Patetico .... Patético.

Hasta aquí podemos decir que hemos visto todas las nociones básicas de teoría musical. Esto nos permitirá poder empezar a movernos con soltura en el medio musical. Como ya imaginará el lector las nociones completas de teoría musical son más amplias pero como ya hemos insistido en varias ocasiones, su estudio no es el objetivo principal de la obra que nos ocupa.

Segunda parte: Práctica

Ejercicios

EJERCICIO Nº 1

EJERCICIO Nº 2

EJERCICIO Nº 3

EJERCICIO Nº 4

EJERCICIO Nº 5

EJERCICIO Nº 6

EJERCICIO Nº 7

EJERCICIO Nº 8

EJERCICIO Nº 9

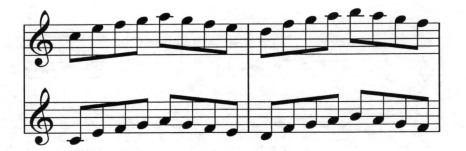

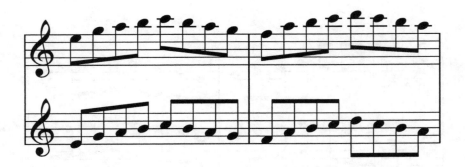

EJERCICIO Nº 10

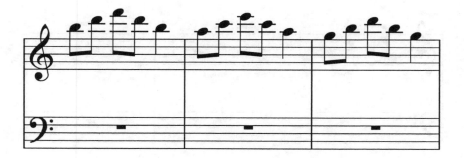

EJERCICIO Nº 11

EJERCICIO Nº 12

EJERCICIO Nº 13

EJERCICIO Nº 14

EJERCICIO Nº 15

EJERCICIO Nº 16

EJERCICIO Nº 17

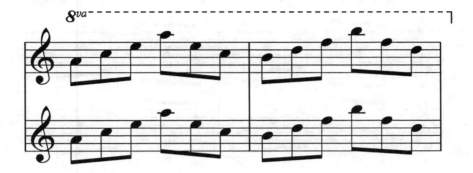

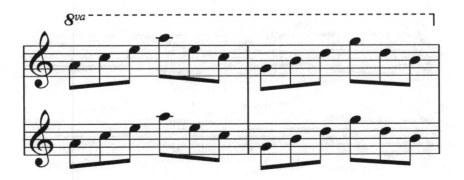

EJERCICIO Nº 18

EJERCICIO Nº 19

EJERCICIO Nº 20

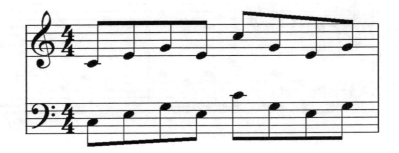

Partituras famosas

AL LADO DE MI CABAÑA

Allegretto

Folklore leonés

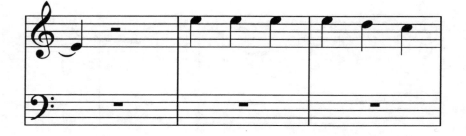

ALOUETTE

Alegretto

Folklore franco canadiense

BARCAROLA

Lento   J. Offenbach

BOLERO

Moderato

M.Ravel

CAMPANA SOBRE CAMPANA

Allegretto

Folklore andaluz

CAMPANITAS DEL LUGAR

Moderato

Tradicional

CANCIÓN DE CUNA

CIELITO LINDO

Moderato   Canción popular mejicana

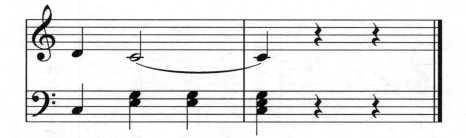

CUMPLEAÑOS FELIZ

Moderato

Popular

EL VITO

Allegretto

Folklore andaluz

HOJAS VERDES

Lento

Popular Inglaterra

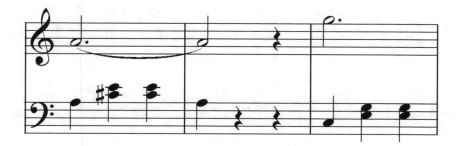

JINGLE BELLS

Allegro

Popular de Escocia

LA CUCARACHA

Allegro   Canción popular mejicana